Mathieu SAPIN

GÉRARD

Cinq années dans les pattes de DEPARDIEU

couleur : Clémence SAPIN

Dargaud

Prologue

MATHIEU, EST-CE QUE TU POURRAIS PARLER À GÉRARD DE LA MORT ?

DE LA MORT ?

OUI. DE LA MORT DE SES PROCHES, DE SA PROPRE MORT, ETC.

EUH... TU ES SÛR ?

OUI, OUI.

ALLEZ VAS-Y.

C'EST, EUH... UN BEL ENDROIT, HEIN ?

OUI.

ON S'Y SENT BIEN.

J'ADORE LES CIMETIÈRES.

C'EST REPOSANT.

JE NE PENSE PAS À LA MORT AVEC TRISTESSE.

QUAND T'ES EN VIE ET QUE TU PENSES À QUELQU'UN IL N'EST JAMAIS MORT...

LA MORT C'EST LA MÉMOIRE DE CEUX QUI VIVAIENT LÀ AVANT.

EN CE QUI ME CONCERNE, J'AI DÉJÀ ÉTÉ DANS LE COMA ET J'AI SENTI...

UN ÉNORME SOULAGEMENT. UNE DÉLIVRANCE.

UNE PAIX.

DONC, ÇA NE T'INQUIÈTE PAS PLUS QUE ÇA ?

AH, PAS PLUS QUE ÇA DU TOUT.

TU PEUX MOURIR DEMAIN, C'EST PAS GRAVE ?

MAIS ÉVIDEMMENT !!

HUMPF !

LES GENS QUI ONT PEUR DE LA MORT, ILS ONT PEUR DE QUOI ?

C'EST QUOI LA MORT ?

C'EST NE PLUS TENIR DEBOUT ? NE PLUS VOIR LA CONNERIE DES GENS ? C'EST NE PLUS MANGER ? NE PLUS BAISER ?

HEIN ?!

EUH...

EST-CE QUE PARFOIS TU AIMERAIS NE PAS ÊTRE CONNU ? MENER UNE VIE NORMALE ?

OH, MOI, JE M'EN FOUS D'ÊTRE CONNU, C'EST LES AUTRES...

IL Y A UNE PHRASE DE PETER HANDKE QUI EST TRÈS BELLE...

"JE NE SAIS RIEN DE MOI À L'AVANCE. MES AVENTURES M'ARRIVENT QUAND JE LES RACONTE. *"

DONC, NON.

J'PENSE PAS AUX ÉPITAPHES.

* dans "LES GENS DÉRAISONNABLES SONT EN VOIE DE DISPARITION".

6

Octobre 2012
PARIS, AZERBAÏDJAN

KHRSHH

GÉRARD ?

GÉRARD, C'EST MOI. C'EST MATHIEU...

LE DESSINATEUR.

AH MATHIEU ! EH BIN ENTRE !!!

TU PASSES PAR LE SOUS-SOL, HEIN ! PARCE QU'IL Y A DES TRAVAUX EN HAUT. SNRFLLL

KHRSHH

SNRFLLL

JE M'INSTALLE, HEIN...

ATTENDS, JE SUIS AU TÉLÉPHONE.

VAS-Y, VA TE FAIRE UN CAFÉ SI TU VEUX.

OUI, ALLÔ ? ALLÔ !!!?

...OUI, POUTINE M'EN A PARLÉ IL M'A DIT QU'IL ÉTAIT TRÈS BIEN.

OUI. TRÈS BIEN.

ALORS LA CAFETIÈRE...

EST-CE QUE TU AS VU POUR LES BULLES ?

POUR LA GARE DE BIELORUSSIA, DANS L'APPARTEMENT DU TSAR...

OUI...

CAFETIÈRE, CAFETIÈRE...

LÀÀÀ LA CAFETIÈRE !!! JUSTE SOUS TES YEUX, BORDEL !!

OH, C'EST PAS VRAI !!?!

OUI, VOILÀ VOILÀ

ILS ARRIVENT À QUELLE HEURE LES JOURNALISTES ?

BIN LÀ, MAINTENANT

ILS ATTENDENT QUE JE LES APPELLE.

BON, MOI JE VAIS ME LAVER LA RONDELLE. SI ÇA SONNE, TU OUVRES.

OK, PAS DE PROBLÈME.

BON.

PCHHHH

VOUS VOUS DEMANDEZ SANS DOUTE CE QUE JE FABRIQUE DANS LE SALON DE GÉRARD DEPARDIEU, LE PLUS GRAND ACTEUR FRANÇAIS DE L'ÉPOQUE MODERNE ! C'EST NORMAL.

PROFITONS QU'IL EST SOUS LA DOUCHE POUR FAIRE UN PETIT RETOUR EN ARRIÈRE...

① La première fois que j'ai vu GÉRARD, c'était à la télé en 1984, dans "LA FEMME D'À CÔTÉ". J'avais 10 ans.

mon papa · Gérard. · Fanny ARDANT.

MATHILDE!

en cachette car je n'avais pas le droit de regarder ce genre de programme.

BANG!

choc érotique et visuel.

BANG!

OH LA VACHE!

morts tous les deux.

...à moins que ce ne soit au cinéma quand ma grand-mère m'a emmené voir LES FUGITIFS (1986).

musique de Georges DELERUE.

② La première fois que j'ai vu GÉRARD en vrai, c'était en 2012 pendant le meeting d'entrée en campagne de Nicolas SARKOZY à VILLEPINTE.

...JE VAIS VOUS DIRE POURQUOI JE SUIS LÀ, AUJOURD'HUI...

LA FRANCE FORTE

...e du ...vice de com' ...tanisé car ...ntervention ...e GÉRARD ...était pas prévue.

ooo ...mpathisants UMP ...rchauffés.

À l'époque je préparais un album sur les coulisses de la campagne présidentielle de François HOLLANDE*. J'étais venu voir comment ça se passait dans le camp d'en face.

...C'EST QUE, DEPUIS QUE CE NOUVEL AMI QUI EST NICOLAS SARKOZY (AVEC CARLA BRUNI) EST AU POUVOIR, JE N'ENTENDS QUE DU MAL DE CET HOMME...

Je n'ai pas été déçu.

...QUI NE FAIT QUE DU BIEN.

JE VOULAIS VOUS LE DIRE.

LA FRANCE FORTE

OUÉÉÉ! · BRAVO!

③ La première fois que j'ai rencontré GÉRARD en vrai de vrai c'était... pas longtemps après.

Bonjour Mathieu blablabla Gérard DEPARDIEU bla blabla BAKOU bla bla...

DIS, CHRISTOPHE, T'AS ENTENDU PARLER DE CETTE BOÎTE DE PROD' QUI CHERCHE UN DESSINATEUR POUR PARTIR EN AZERBAÏDJAN AVEC DEPARDIEU?

OUAIS, ILS M'ONT CONTACTÉ MOI AUSSI.

AH OUI? ET TU LEUR AS RÉPONDU QUOI?

BIN, JE LEUR AI DIT NON. JE SUIS PAS FOU!

AH.

* CAMPAGNE PRÉSIDENTIELLE chez DARGAUD.

Christophe BLAIN, mon camarade d'atelier.

Quelques jours plus tard...

ARNAUD, producteur, homme d'affaires et ami de GÉRARD.

GÉRARD, C'EST UN ARTISTE. IL FONCTIONNE À L'INSTINCT.

QUAND IL RENCONTRE QUELQU'UN POUR LA PREMIÈRE FOIS, IL SENT TOUT DE SUITE LA PERSONNE QU'IL A EN FACE DE LUI.

ET LÀ, ÇA PASSE OU ÇA CASSE.

S'IL NE TE SENT PAS, DANS LE MEILLEUR DES CAS, IL VA T'IGNORER COMPLÈTEMENT.

MMM

... ET DANS LE PIRE ?

DANS LE PIRE DES CAS, IL VA S'ACHARNER SUR TOI ET ÇA PEUT VRAIMENT TRÈS MAL SE PASSER.

... MAIS BON, ON VA TRÈS VITE ORGANISER UNE RENCONTRE, COMME ÇA ON VERRA BIEN.

OUI, C'EST LE MIEUX.

EUH OUI, BONNE IDÉE.

STÉPHANE est réalisateur. Il a l'air cool comme ça mais lui aussi il a les foies car il n'a pas encore rencontré GÉRARD et il ne sait pas trop dans quoi il s'embarque.

HUM !

BON. JE VOIS TROIS CHOSES QUI POURRAIENT ÊTRE DÉTERMINANTES POUR TA RENCONTRE AVEC GÉRARD...

① IL Y A LA DIFFÉRENCE D'ÂGE. GÉRARD POURRAIT ÊTRE TON PÈRE. COMMENT TU VAS FAIRE POUR QU'IL TE PRENNE EN CONSIDÉRATION ?

EUH ...

② LE DESSIN. GÉRARD AIME LES ARTISTES (TU VAS VOIR, CHEZ LUI C'EST UN VRAI MUSÉE). LE FAIT QUE TU FASSES DU DESSIN, ÇA VA LUI PLAIRE.

COOL.

③ IL Y A LA POLITIQUE. LE FAIT QUE TU CONNAISSES HOLLANDE ET QUE TU AIES SUIVI SA CAMPAGNE ÇA VA L'INTÉRESSER. IL VA TE POSER DES QUESTIONS. QU'EST-CE QUE TU VAS LUI RÉPONDRE S'IL TE DEMANDE POURQUOI TU L'AS SUIVI?

BIN ...

LA POLITIQUE, LE POUVOIR, C'EST FASCINANT POUR UN ARTISTE.

ET INVERSEMENT, LES GENS QUI FONT DE LA POLITIQUE SONT FASCINÉS PAR LES ARTISTES.

...PARCE QUE VOUS AVEZ QUELQUE CHOSE QU'ILS NE POURRONT JAMAIS AVOIR: LA LIBERTÉ!

AH OUAIS...

C'EST POUR ÇA QU'UN MEC COMME POUTINE, ÇA L'INTÉRESSE DE RENCONTRER QUELQU'UN COMME GÉRARD.

IL REPRÉSENTE TOUT CE QU'IL NE PEUT PAS ÊTRE.

TIENS, JE VAIS TE MONTRER UN TRUC MAIS TU LE GARDES POUR TOI...

TIENS, REGARDE.

HA HA

OH, MON DIEU!

C'EST TOI QUI AS PRIS LA PHOTO?

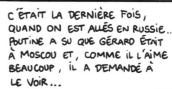

C'ÉTAIT LA DERNIÈRE FOIS, QUAND ON EST ALLÉS EN RUSSIE... POUTINE A SU QUE GÉRARD ÉTAIT À MOSCOU ET, COMME IL L'AIME BEAUCOUP, IL A DEMANDÉ À LE VOIR...

AU MOMENT DE FAIRE LA PHOTO, GÉRARD S'EST TOURNÉ VERS MOI ET IL M'A DIT...

"TU VAS VOIR JE VAIS ÉCRASER MON GROS NEZ CONTRE LA JOUE DE POUTINE."

POURQUOI IL A FAIT ÇA?!!

COMME ÇA. ÇA LE FAISAIT MARRER...

ET POUTINE? COMMENT IL A RÉAGI?

BIEN. IL ÉTAIT QUAND MÊME UN PEU SURPRIS.

HA HA.

Bizarrement, au lieu de me barrer fissa en bredouillant une excuse, j'ai dit:

DONC, ON VA LE VOIR QUAND, GÉRARD?

...ET TROIS JOURS PLUS TARD, JE ME RETROUVAIS ICI. ACCOUDÉ À CETTE MÊME TABLE EN MARBRE.

la chaise de GÉRARD.

LE PREMIER CONTACT S'EST PASSÉ À PEU PRÈS COMME ÇA...

SALUT GÉRARD, TU VAS BIEN ?

OUI, OH. JE SUIS UN PEU CREVÉ, JE ME SUIS COUCHÉ TARD HIER...

PURÉE, LE MORCE

Y'AVAIT BOB ET HARVEY KEITEL QUI ÉTAIENT DE PASSAGE À PARIS ALORS ON A UN PEU FAIT LA FÊTE.

BOB ?

BOB DE NIRO.

AH OK.

La conversation aborde mille et un sujets sans que GÉRARD ne semble remarquer ma présence.

TOUT EST EN MARBRE ! Y'A RIEN ! JUSTE DU MARBRE. C'EST EXACTEMENT CE QUE JE VOULAIS POUR CHEZ MOI.

J'ADORE LE VIDE !

ET LÀ ! LÀ, C'EST UNE VRAIE OEUVRE.

← là, il parle du palais d'été d'ALIYEV à côté de BAKOU.

Jean-Pier DEVILLER va coréaliser le doc avec Stéphane (et il connaî déjà GÉ

Y'A SIMPLEMENT DES MARBRES. ET PUIS DES LUSTRES.

ILS ONT VOULU FAIRE LA MÊME CHOSE DANS CERTAINS GRANDS HÔTELS PARISIENS, MAIS C'EST QUE DE LA DÉCO.

...T'AS L'IMPRESSION D'ÊTRE AU MILIEU DU FAUBOURG ST-HONORÉ.

OUI, C'EST TRÈS TOC.

premiers mots que je prononce.

HEIN ?!

EUH... C'EST TRÈS TOC.

LA DÉCO DANS LES GRANDS HÔTELS. ENFIN, JE TROUVE...

DONC ALORS VOILÀ, GÉRARD, AUJOURD'HUI C'EST SURTOUT L'OCCASION QUE TU FASSES CONNAISSANCE AVEC MATHIEU QUI VA NOUS ACCOMPAGNER À BAKOU...

OUI...

BONJOUR.

ET ALORS MATHIEU EST DESSINATEUR.

AH BON ?

OUI, JE... JE FAIS DES DESSINS.

JUSTEMENT, VOICI LA BD QUE J'AI DESSINÉE SUR LA DERNIÈRE CAMPAGNE PRÉSIDENTIELLE.

AH.

CAMPAGNE PRÉSIDENTIELLE

OUI ET ALORS C'EST RIGOLO PARCE QUE JUSTEMENT...

...JE VOUS AI DESSINÉ DEDANS (EN PAGE 27) AU MOMENT OÙ VOUS AVEZ PRIS LA PAROLE AU MEETING DE SARKOZY À VILLEPINTE ET... EUH...

JE SUIS TARÉ, POURQUOI JE LUI MONTRE ÇA ? ...

On ne sait pas s'il regarde vraiment ou s'il s'en fout.

GRMBLL

TU T'APPELLES COMMENT DÉJÀ ?

MATHIEU.

MATHIEU SAPIN.

BON, JE VAIS T'APPELER TINTIN.

HA HA

C'EST PLUS SIMPLE.

Voilà, les présentations sont faites. GÉRARD repart sur l'architecture et le design...

...Y'A FOSTER, FRANK GEHRY ET BRANCUSI AUSSI. IL LES A TOUS POMPÉS.

BON...

C'ÉTAIT PAS PLUS COMPLIQUÉ QUE ÇA.

L'objet de tout ce remue-ménage est le tournage de

RETOUR AU CAUCASE

un documentaire de 52 minutes au cours duquel
Gérard DEPARDIEU va devoir arpenter l'AZERBAÏDJAN
avec comme fil rouge un livre d'Alexandre DUMAS
écrit en 1859 intitulé "LE CAUCASE - IMPRESSIONS
DE VOYAGE".
Le livre est constitué de notes de
voyage et de gravures réalisées par
le peintre Jean-Pierre MOYNET
qui avait accompagné DUMAS
dans son périple dans la région
(et en RUSSIE).

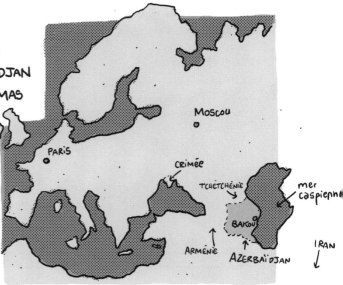

LE LIEN ENTRE ALEXANDRE DUMAS ET GÉRARD DEPARDIEU EST ASSEZ ÉVIDENT...

écrit des romans (LE COMTE DE MONTE-CRISTO, LES TROIS MOUSQUETAIRES ETC.).

aime manger (130 Kg).

possède 1 château

joue dans des adaptations filmées des romans de DUMAS (LES TROIS MOUSQUETAIRES, LE COMTE DE MONTE-CRISTO, ETC.)

aime manger (140 Kg).

possède 2 châteaux.

joue DUMAS lui-même (L'AUTRE DUMAS).

EN CE QUI CONCERNE JEAN-PIERRE MOYNET ET MOI C'EST PLUS FLOU.

Du coup, Arnaud FRILLEY et Stéphane BERGOUHNIOUX
ont eu l'idée lumineuse de faire appel à un dessinateur
de BD pour accompagner GÉRARD...

TOUT CE QUE TU AURAS À FAIRE, C'EST DE PARLER AVEC GÉRARD (ET DESSINER EN MÊME TEMPS).

OK.

PARCE QUE, TU VOIS, C'EST UN DOCUMENTAIRE SUR LE CAUCASE MAIS C'EST AUSSI UN PORTRAIT DE DEPARDIEU.

DONC N'HÉSITE PAS À LUI POSER DES QUESTIONS, À LE FAIRE PARLER.

LE FAIRE PARLER ?

OUI.

Et c'est ainsi que quelques jours plus tard, je me retrouve dans une chambre d'hôtel à BAKOU.

DANS QUEL PLAN ME SUIS-JE EMBARQUÉ ?

clim pourrie.

chaleur étouffante.

"VIVANT" éd. PLON
entretiens de Laurent NEUMANN
avec Gérard DEPARDIEU.

Le lendemain (8 septembre 2012), je retrouve GÉRARD sur la terrasse de son hôtel (plus chic que le mien).

BON, C'EST À QUELLE HEURE LE MACHIN ?

PAS TOUT DE SUITE, GÉRARD, MOI JE DOIS Y ALLER, MAIS VOUS, VOUS AVEZ LE TEMPS.

ARNAUD s'occupe de tout.

LE TEMPS DE QUOI ?

San Pellegrino.

un livre de philip KERR.

Entre deux selfies avec le personnel, GÉRARD me propose d'aller à la piscine de l'hôtel.

MAIS, EUH... J'AI PAS DE MAILLOT.

TU T'EN FOUS, T'Y VAS EN SLIP.

garçon d'étage trop content

ELLE EST BIEN CETTE PISCINE. TOUT EN LONGUEUR COMME ÇA...

OUI OUI.

TOUT EST NORMAL...

C'EST UNE COMME ÇA QU'IL FAUDRAIT POUR CHEZ MOI, NON ?

EUH... SI, SI.

↑ GÉRARD a remis sa chemise (aux manches arrachées pour avoir moins chaud).

À chaque pas les clients de l'hôtel demandent à prendre GÉRARD en photo.

JE VAIS ME RETROUVER DANS "CLOSER", C'EST SÛR.

À chaque fois GÉRARD se prête au jeu sans broncher.

LÀ.

CADRÉ SERRÉ, HEIN ?

OUI OUI

Hi Hi

Puis...

ALLEZ, À LA DOUCHE !

DUŞ

GRMBLLL

douches communes à la russe

♪

♪

JE PRENDS MA DOUCHE À POIL AVEC DEPARDIEU.

IL Y A UN TRUC QUE J'AIME BIEN DANS CET HÔTEL...

...TOUT EST PARFAITEMENT NORMAL.

C'EST LES PETITES SERVIETTES COMME ÇA. ON DIRAIT DES TORCHONS.

J'EN PIQUE À CHAQUE FOIS. J'EN AI PLEIN CHEZ MOI.

AH OUI ?

SURTOUT NE PAS PENSER...

Après ça on va se changer dans la suite de GÉRARD.

SNIRFLLL

... À TENUE DE SOIRÉE *

GRRRR

Du coup moi aussi j'ai piqué un Torchon-serviette.

J'VAIS T'ENCULER.

HiHi!

J'VAIS T'ENCULER ET TU JOUIRAS.

* "TENUE DE SOIRÉE" (198_ de Bertrand BLIER. Ave_ Gérard DEPARDI_ Michel BLANC et MIOU-MIOU.

20

Plus tard, sur la route, je commence à poser des questions à GÉRARD.

TU TE RAPPELLES À QUEL ÂGE TU AS DÉCOUVERT DUMAS ?

MALHEUREUSEMENT, J'AI QUITTÉ L'ÉCOLE TRÈS TÔT ET JE ME SUIS RETROUVÉ SUR LA ROUTE.

ET VERS L'ÂGE DE 14 ANS J'AI PERDU L'USAGE DE LA PAROLE.

par là-bas c'est la Tchétchénie.

champ d'extraction du gaz.

TU PARLAIS PAS ?

NON.

la camionnette du reste de l'équipe.

de ce côté c'est la mer Caspienne.

JE PARLAIS PLUS. J'AVAIS TROP D'ÉMOTIVITÉ.

Il se livre simplement.

FAUT DIRE QU'À 14 ANS J'ÉTAIS COMME JE SUIS MAINTENANT. J'ÉTAIS GRAND, FORT...

ET ON ME PRENAIT POUR UN DÉBILE EN GÉNÉRAL...

On sent qu'il est habitué.

ON SE DISAIT : "QU'EST-CE QU'IL FOUT CET ABRUTI DANS LA CLASSE DES PETITS ?"

ALORS QUE J'ÉTAIS PLUS JEUNE QU'EUX

Même si les caméras ne sont pas loin.

ET CES TATOUAGES, LÀ, C'EST QUOI ?

ÇA C'EST LES PUTES DE CHÂTEAUROUX QUI ME LES ONT FAITS.

J'AIMAIS LA NUIT.

J'AIMAIS ME PROMENER, J'AIMAIS IMAGINER DES CHOSES, LES LUMIÈRES QUI S'ALLUMENT ET TOUT ÇA...

J'ALLAIS À LA BASE AMÉRICAINE DE CHÂTEAUROUX, Y'AVAIT DES FÊTES FORAINES... Y'AVAIT... *

* GÉRARD ne finit pas toujours ses phrases. C'est normal.

ET DONC, JE M'AMUSAIS BEAUCOUP. LA JOURNÉE JE JOUAIS AVEC LES ENFANTS DES GI'S, DES GRADÉS...

...ET LA NUIT J'ALLAIS EN BOÎTE AVEC LES GI'S ET ON FAISAIT DES BRAS DE FER ET ÇA SE TAPAIT SUR LA GUEULE À MORT.

AH OUAIS SYMPA...

J'AI VOLÉ DES CIGARETTES, DES MACHINS, ENFIN, UN WAGON DE CIGARETTES...

BEAUCOUP, BEAUCOUP DE TRAFIC.

BEAUCOUP DE TRAFIC.

J'AIMAIS LA VIE. BEAUCOUP. ET JE M'APERCEVAIS QUE JE M'EN TIRAIS TOUJOURS AVEC UN SOURIRE...

...ET QUE ÇA SERVAIT À RIEN D'ARRIVER À UN RAPPORT DE FORCE.

OUI, JE SUIS D'ACCORD.

J'ADORAIS LA BAGARRE. J'ADORAIS LE SENTIMENT DE RECEVOIR UN COUP DE POING POUR EN DONNER UN AUTRE...

AH.

OUI, J'ADORAIS ÇA. ÇA ME... STIMULAIT.

QUELLE DRÔLE D'IDÉE.

JUSQU'À UN MOMENT OÙ, À L'ÂGE DE 13 ANS ET DEMI, LES FLICS DES DOUANES M'ONT CHOPÉ POUR... EUH...

LE DÉDÉ* IL ÉTAIT ANALPHABÈTE MAIS IL AVAIT SON HONNEUR...

IL VOULAIT PAS QUE L'ASSISTANCE SOCIALE NOUS PRENNE. ENFIN ME PRENNE, MOI. ET ME FOUTE DANS UNE FAMILLE OU UN ORPHELINAT.

...DONC LE PSYCHOLOGUE QUI S'OCCUPAIT DE LA DÉLINQUANCE M'A VU ET IL M'A DIT :

"T'AS DES MAINS DE SCULPTEUR", IL M'A DIT.

FINALEMENT IL M'A MIS DANS LA TÊTE QUE JE POURRAIS ÊTRE UN ARTISTE.

* Le DÉDÉ c'est le père de GÉRARD.

23

Avec GÉRARD il faut que ça bouge. Qu'il se passe quelque chose. Tout le temps. Sinon il s'emmerde.

STÉPHANE et son équipe ne sont jamais loin. ↓

J'AIMERAIS BIEN GOÛTER LES ... CHACHLIKS, LES PETITES CÔTES D'AGNEAU...

ET PIS LES VIANDES !

TOUT !

DA.

DA.

DA.

BEAUCOUP !

on sort à peine d'un autre restaurant. c'est le marathon de la bouffe.

Quand GÉRARD s'emmerde il éructe, il a chaud, il ne tient pas en place.

J'EN AI MARRE DE LA FRANCE.

J'VAIS M'BARRER.

ALLEZ, FASTER *!

Et quand ça ne va pas assez vite...

ALLEZ, FASTER FASTER !

YES, MISTER GÉRARD.

chauffeur AZÉRI.

OUI, ENFIN PAS TROP FASTER QUAND MÊME...

... Il fait des guilis au chauffeur.

FASTER, J'TE DIS !

DAVAÏ !*₊ DAVAÏ !!

NO, MISTER GÉRARD ! PLEASE !

... À 140 Km/h sur l'autoroute.

AAAAAAA

STOP MISTER GÉRARD !!

* "PLUS VITE !" en anglais.

*₊ "ALLEZ ! ALLEZ !!" en russe.

24

Je ne sais pas si Alexandre DUMAS faisait des guilis à son chauffeur mais, à mon avis, il ne devait pas tellement tenir en place non plus...

DUMAS AIMAIT MANGER, FORCÉMENT, COMME IL AIMAIT BAISER COMME IL AIMAIT... LA VIE.

Lui c'est notre guide, il est azéri et ne parle pas français.

MMM

SLURP

CE QUE J'AIME CHEZ DUMAS, C'EST SA DÉMESURE...

C'ÉTAIT UNE SORTE DE FALSTAFF !

... L'EXCÈS.

OUI

OUI, C'EST DES EXCÈS. D'AILLEURS ON S'ÉTONNE... MOI-MÊME JE M'ÉTONNE. COMMENT UN HOMME COMME CELUI-LÀ A PU...

PARCE QU'IL N'Y AVAIT PAS LA MÉDECINE QU'ON A MAINTENANT. IL DEVAIT ÊTRE BOURRÉ DE CHOLESTÉROL...

C'ÉTAIT UNE FORCE DE LA NATURE.

AH, OUI, C'ÉTAIT UNE FORCE DE LA NATURE !

JOSEPH KESSEL RESSEMBLAIT À DUMAS PAR SON TEMPÉRAMENT. C'ÉTAIENT DES HOMMES QUI ÉTAIENT DES OGRES... À TABLE.

COMME TOI.

PARDON ?

NON, JE DISAIS : "COMME TOI".

OUI.

25

DUMAS C'ÉTAIT QUELQU'UN QUI ÉTAIT UN OGRE... VRAIMENT !

C'ÉTAIT PANTAGRUEL, C'ÉTAIT...

...ET EN MÊME TEMPS EXTRÊMEMENT RAFFINÉ.

...D'AILLEURS ÇA DEVAIT ÊTRE EXTRÊMEMENT FATIGANT DE VIVRE À SES CÔTÉS.

HUM...

C'EST FATIGANT DE VIVRE À CÔTÉ DE QUELQU'UN COMME DUMAS.

AH OUI !

ET À CÔTÉ DE QUELQU'UN COMME DEPARDIEU ?

AH OUI, C'EST FATIGANT AUSSI.

D'AILLEURS, MOI-MÊME, DES FOIS, JE ME FATIGUE...

HA HA !

MAIS BON, C'EST PAS INSUPPORTABLE.

...ON S'ENNUIE PAS.

NON...

NON. C'EST PAS INSUPPORTABLE MAIS ENFIN, C'EST PAS ÇA QUI EST IMPORTANT.

EN TOUT CAS CE QUE J'ADMIRE CHEZ DUMAS C'EST CE SENS DU ROMANESQUE ET PUIS AUSSI IL Y A LA SENSIBILITÉ.

...ET PUIS IL Y A CETTE CURIOSITÉ D'ENFANT EN MÊME TEMPS...

ET PUIS IL Y A CETTE SENSUALITÉ...

C'EST PAS DES SENSUALITÉS DE CULS SERRÉS.

HA HA !

MIOM

kompot
Sorte de purée de fruits liquide.

beignets à la viande.

yaourt.   herbes et salade.   côtelettes grillées.   feuilles de vigne   poisson

J'ME RESSERS, HEIN.

OUI, J'VOIS QUE T'AIMES ÇA.

TIENS, PRENDS-EN AVEC ÇA, C'EST BON ÇA.

sauce sucrée.

PURÉE, JE VAIS ÉCLATER...

boulettes de viande trop bonnes.

GÉRARD est connu partout, mais il est particulièrement célèbre dans les pays russophones. Ses films avec Pierre RICHARD font l'objet de véritables cultes ✳ et il a tourné de nombreuses pubs là-bas.

T'EN AS PAS MARRE ?

NON, QU'EST-CE TU VEUX QUE JE FASSE ?

ALLEZ BYE-BYE.

À chaque fois, c'est la même cérémonie.

2 policiers qui nous arrêtent pour faire un selfie.

un village coupé du monde au fin fond des montagnes du CAUCASE (il faut traverser deux torrents pour y arriver).

eux ils appellent GÉRARD "OBÉLIX".

MAIS ÇA DOIT ÊTRE INFERNAL. C'EST COMME ÇA PARTOUT ?

PARTOUT.

affiche avec ALIYEV père et fils (l'ancien et l'actuel président) qui regardent vers l'avenir pleins de confiance.

sur une plate-forme pétrolière OFF SHORE sur la mer CASPIENNE.

SI TU VAS AU BRÉSIL... OU EN BIRMANIE...

OUI, OUI, PAREIL.

même moi je le prends en photo.

ILS VEULENT ME VOIR, ME PALPER, ME PRENDRE EN PHOTO...

...COMME UN GROS BOUDDHA VIVANT.

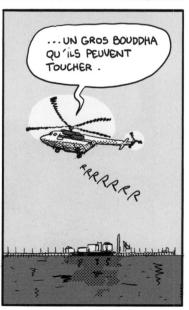

...UN GROS BOUDDHA QU'ILS PEUVENT TOUCHER.

RRRRRRR

✳ "LA CHÈVRE" (1981), "LES COMPÈRES" (1983), "LES FUGITIFS" (1986) réalisés par Francis VEBER.

GÉRARD a l'habitude d'être regardé mais il a aussi un don d'observation redoutable.

ELLE PORTAIT UN STRING.

J'AI SENTI LA FICELLE QUAND J'AI PASSÉ MA MAIN SUR SON CUL.

AH C'EST POUR ÇA QU'ELLE EST PARTIE EN TIRANT LA GUEULE...

Organisatrice d'une exposition d'Art Contemporain à BAKOU qui vient de faire un Selfie avec GÉRARD.
Au passage c'est aussi la nièce du président ALIYEV.

notre chauffeur

Pendant qu'il capte les regards de tout le monde, il en profite pour "scanner" ce qui l'entoure.

J'AI VU QU'ELLE TE PLAISAIT LA PETITE ASSISTANTE AVEC SA TÊTE DE SIMPLETTE.

COMMENT !? MAIS PAS DU TOUT !

Notant chaque détail.

COMMENT TU FAIS POUR REMARQUER TOUT ÇA ?

JE REGARDE LES AUTRES, MOI, QU'EST-CE QUE TU CROIS ?

JE SUIS PAS COMME TOUS CES CONS QUI PASSENT LEUR TEMPS À SE CONTEMPLER, À SE TROUVER BEAUX...

HA HA.

TU PENSES QUE JE T'AI PAS VU TOUT À L'HEURE QUAND TU AJUSTAIS TES LUNETTES DE SOLEIL DANS LE RÉTRO ?

MOI !? MAIS ENFIN, JE...

MERDE, IL A RAISON...

C'est sans doute ça être acteur...

J'AI PAS ÉTUDIÉ MAIS J'AI COMPRIS LES CHOSES EN LES JOUANT.

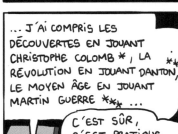

...J'AI COMPRIS LES DÉCOUVERTES EN JOUANT CHRISTOPHE COLOMB *, LA RÉVOLUTION EN JOUANT DANTON, LE MOYEN ÂGE EN JOUANT MARTIN GUERRE *** ...

C'EST SÛR, C'EST PRATIQUE...

VOYAGE AU CAUCASE A. DUMAS

...MAIS TU TE DOCUMENTAIS AVANT D'APPRÉHENDER TOUS CES RÔLES ?

POUR QUOI FAIRE ?

SNIRFL !

* 1492 : CHRISTOPHE COLOMB, de Ridley SCOTT (1992).
** DANTON, de Andrzej WAJDA (1983).
*** LE RETOUR DE MARTIN GUERRE, de Daniel VIGNE (1982).

Tout ce que GÉRARD fait, il le fait à fond. Quand il parle c'est beaucoup.

BLA BLA BLA BLA BLA BLA BLA BLA

N'ARRIVERAIS JAMAIS À RETENIR TOUT ÇA.

C'EST LE MOMENT D'UTILISER MON ENREGISTREUR ESPION...

CLIC

C'EST PARTI.

EH BIN QUOI ? IL NE DIT PLUS RIEN ?

HUM !

Snirfl

SNiiiiiiRFLL...

BON.

...ET J'EN AI PARLÉ À JEAN-PAUL II QUAND J'AI ÉTÉ REÇU AU VATICAN.

OK, LAISSE TOMBER AUTANT ARRÊTER TOUT DE SUITE CE MACHIN.

CLIC

Évidemment c'est à partir de là que GÉRARD se met à raconter des choses intéressantes...

Snirfl.

...ET DONC, MARGUERITE DURAS ME TÉLÉPHONAIT ET ME DISAIT : "MON PETIT GÉRARD, QUAND EST-CE QUE TU VIENS ME DIRE BONJOUR ?"

...ET PAF ! QUAND J'ARRIVAIS CHEZ ELLE RUE SAINT-BENOÎT, ELLE ME FILAIT UN PINCEAU ET UN POT DE PEINTURE POUR QUE JE REPEIGNE SES CHAMBRES DE BONNES...

...ET ALORS MITTERRAND FINIT PAR SE POINTER AU DÎNER, L'AIR TOUT CONTENT. MOI JE SAVAIS QU'IL SORTAIT DE CHEZ SA MAÎTRESSE IL ME REGARDE ET IL SE MET À CHANTER : ♫ ♫ "COMME UN GARÇON J'AI LES CHEVEUX LONGS..."

Le périple en AZERBAÏDJAN a duré 10 jours.

Monts du CAUCASE.

"L'ARGENT NE FAIT PAS DE TOI UN HOMME RICHE.

IL FAIT DE TOI UN HOMME PRÉOCCUPÉ.*"

RRRRRRR

ancienne camionnette de l'armée russe.

10 jours passés à se déplacer...

EASY RIDERS !

... à parler...

GRMBL

le temple du feu.

* Gérard citant CHRISTOPHE COLOMB.

... à manger ...

TIENS, PRENDS ÇA ET METS LES BROCHETTES LÀ-DEDANS.

brochettes ? pour 20 personnes.

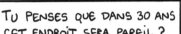
galettes PITAS.

MAIS ON VIENT À PEINE DE PRENDRE LE PETIT DÉJEUNER !!

ALLEZ, ON PAYE ET ON MONTE DANS LA BAGNOLE.

OK, LET'S GO !

OH, C'EST PAS VRAI !!

C'EST MARRANT CE MARCHÉ. T'AS L'IMPRESSION QUE RIEN N'A BOUGÉ DEPUIS DES DÉCENNIES.

BOF. ÇA RESSEMBLE À TOUS LES MARCHÉS DU MONDE.

on roule sur 500 m pour échapper à la foule et on va s'installer dans le premier boui-boui venu.

TU PENSES QUE DANS 30 ANS CET ENDROIT SERA PAREIL ?

PAREIL !

COMMENT ÇA S'APPELLE ICI ?

SHAMIKI ?

SHAMAKI.

SHAMAKI OUI.

MAIS ON PEUT DIRE NOUKHA AUSSI.

NOUKHA, OUI.

NOURRAH.

NOUKHA.

NON, NOURRAH. ILS PRONONCENT NOURRAH.

DIS, TU VEUX UNE VOLÉE !!!?

EST-CE QUE TU CROIS QUE JEAN-PIERRE MOYNET SE PERMETTAIT DE REPRENDRE ALEXANDRE DUMAS, COMME ÇA ?

BIN... EUH ...

OUI ?

HA HA HA !!

HA HA.

GLOUPS.

32

... et ainsi de suite.

PSSST, MATHIEU. EST-CE QUE TU POURRAIS PARLER À GÉRARD DE LA MORT ?

DE LA MORT ?

GRR

la seule fois où j'ai vu GÉRARD boire de l'alcool de tout le séjour.

JE VOUDRAIS PORTER UN TOAST À MON AMI GÉRARD ...

directeur de production local.

GÉRARD, ARRÊTE DE FAIRE DES GUILIS AU CHAUFFEUR PAR PITIÉ !!!

GRMBLLL

RRRRRR

TU CONNAIS DES TCHÉTCHÈNES, TOI ?

YES, GÉRARD.

notre guide a servi dans l'armée russe.

GÉRARD m'a filé le polar qu'il vient de terminer, "JULIUS WINSOME" de G. DONOVAN.

mémoires de DUMAS.

IL Y A BEAUCOUP TROP DE LOUPS ICI... ILS SONT PLUS DANGEREUX SEULS QU'EN MEUTE.

OUI

NIOM

un chasseur qui nous a invités dans sa maison.

ON DIT QUE TU AURAS BEAU NOURRIR UN LOUP, IL T'ATTAQUERA TOUJOURS.

"TROP LONGTEMPS SANS NOUVELLES DE TOI."

C'EST QUI ÇA ?

Caravansérail de BAKOU.

GÉRARD et son vieux téléphone pourri à touches.

le barbier du marché de GOUBA en méga stress.

C'EST CUL DE SINGE, LÀ, TA MOUSSE ! ÇA BRÛLE !

HA HA

CONFITURE ! C'EST BON ÇA !

une marchande de fruits au bord de la route.

↖ GÉRARD n'utilise pas la fonction "répertoire" de son téléphone.
Il connaît les numéros de mémoire.

la brouille est terminée.

JE VOUDRAIS...
PORTER UN TOAST
...

AAH VOILÀÀÀ ! LÀ, ON EST BIEN !! OH C'EST PAS VRAI !!

RRRRRR

MAIS GÉRARD, C'EST TOI QUI...

POUR LE TCHÉTCHÈNE UN AMI TE RABAISSE, T'AFFAIBLIT.

UN ENNEMI TE STRUCTURE...

OUI, VOILÀ.

Un jour le type découvre que son chien a été assassiné à l'extérieur de sa cabane. Le type décide de se venger...

PAN!

J'L'AI EU LE PINGOUIN !!

ALLÔ ? AH C'EST TOI, JACQUES ?!! COMMENT ÇA VA ?

Jacques essaye d'en placer une.

BLABLABLA... ET TU SAIS QUE C'EST MOZART QUI A FILÉ À L'ABBÉ RAYNAL LA SONATE DE "LA MARSEILLAISE" ? ET BLABLABLA ...

le barbier est plus détendu (c'est moi qui suis stressé).

GRMBLL...

Après dix jours de ce régime intensif je me traîne plus mort que vif dans l'avion du retour ...

MONSIEUR, DÉSIREZ-VOUS UN PLATEAU-REPAS ?

BURP! NON MERCI, SURTOUT PAS...

* Jacques ATTALI.

Octobre 2012 – Mars 2014

PARIS

Octobre 2012

Encore sonné par le voyage en AZERBAÏDJAN, je retrouve d'un coup une existence plus calme et passe la semaine qui suit mon retour sur mon canapé.

Ma vie reprend peu à peu son cours et je commence les démarches pour mon projet secret : une bande dessinée sur les coulisses du palais de l'Élysée.

Ça avance mollement.

gant d'eau froide.

bouillotte électrique.

je suis revenu avec plus de 6 kilos supplémentaires.

RAAAAA

en pyjama toute la journée.

biscotte tisane à la fleur d'oranger.

OUI, C'EST INTÉRESSANT.

JE VAIS RÉDIGER UNE NOTE POSITIVE.

conseiller en communication de François HOLLANDE.

SUPER IDÉE.

ON EN PARLE AU PRÉSIDENT ET ON REVIENT VERS TOI.

conseiller en communication de François HOLLANDE.

Novembre 2012

Un jour, en passant devant la maison de GÉRARD, je décide de sonner pour prendre de ses nouvelles...

Pas de réponse.

Comme je n'ai pas son numéro de téléphone, je griffonne un mot et le glisse sous le portail.

Caméra.

Décembre 2012

La presse annonce que Gérard DEPARDIEU quitte la FRANCE pour aller s'installer dans la petite commune de NÉCHIN, en BELGIQUE.

Le lendemain, Jean-Marc AYRAULT, le Premier ministre, réagit sur FRANCE 2 dans l'émission TÉLÉ MATIN.

MERDE ALORS !

C'ÉTAIT PAS DES BLAGUES !!

DEPÊCHES DEPARDIEU

... JE TROUVE ÇA ASSEZ MINABLE.

C'EST UNE GRANDE STAR. TOUT LE MONDE L'AIME...

COMME ARTISTE.

MAIS SE METTRE JUSTE DE L'AUTRE CÔTÉ DE LA FRONTIÈRE... IL Y A QUELQUE CHOSE DE JE DIRAIS PRESQUE...

... ASSEZ MINABLE, QUOI.

HOULÀ !

À partir de là, les choses s'emballent un peu...

L'occasion de recroiser GÉRARD se présente quelque temps plus tard.

« TIENS, J'AIMERAIS BIEN VOIR CETTE EXPOSITION D'ART CONTEMPORAIN QUI SE TIENT DANS UN HÔPITAL EN CONSTRUCTION... »

« AH... »

Ça se passe dans un studio près de PARIS.

La production nous a demandé de venir enregistrer quelques phrases supplémentaires pour le documentaire.

« AH, TU FAIS COMME DUMAS. TU VAS VOIR LES INTELLECTUELS DU PAYS... »

« OUI »

voix pas du tout naturelle.

Arnaud FRILLEY

GÉRARD a l'air en forme.

MAIS, TU HABITES OÙ EN CE MOMENT ? EN RUSSIE ?

NON, À PARIS.

STUDIO TITRA FILMS

AH.

J'AI MIS EN VENTE MA MAISON.

JE PENSAIS PAS QUE TU LE FERAIS, LE COUP DU PASSEPORT RUSSE...

C'EST PAS UNE HISTOIRE DE POGNON. LES FRANÇAIS SONT TRISTES. ILS M'EMMERDENT. JE PRÉFÈRE ME BARRER.

TIENS, REGARDE, LE FOND D'ÉCRAN.

AH OUAIS D'ACCORD...

le portable d'Arnaud.

photo prise au KREMLIN : V. POUTINE.

énorme montre russe (CUSTOS).

EN TOUT CAS, ON PEUT DIRE QUE TU AS FAIT PARLER DE TOI.

LA PRESSE N'EST PAS TENDRE.

BOH, ÇA M'INTÉRESSE PAS...

ENFIN, TU DIRAS À TES COPAINS À "LIBÉRATION"...

EUH OUI ?...

TU LEUR DIRAS QU'IL Y A 140 kg DE VIANDE QUI LES CHERCHENT DANS PARIS !!!

B... BIEN

ILS VONT SENTIR MON SOUFFLE SUR LEUR NUQUE !!!

D'ACCORD, JE LEUR DIRAI...

MAIS, TU SAIS, JE LES CONNAIS TRÈS PEU...

même quand il est seul, GÉRARD pousse des soufflements et des éructations.

Snirflll

GRMBLLL

sur l'écran, des gladiateurs se trucident de façon très réaliste.

et aussi, il aime bien dire des grossièretés comme ça, pour rien, sans prévenir.

Snrf

Hu Hu

LA CHATTE !

l'un d'eux, avec un sexe particulièrement imposant est choisi pour forniquer avec une noble romaine.

un gladiateur se pend dans la scène suivante, "il s'est libéré à sa manière" dit un témoin.

OH, LES DIALOGUES

HA HA

HA HA !

TUIT ! TUIT !! TUIT !

?

sur l'écran ça baise à nouveau.

QU'EST-CE QUE TU FOUS !? TU M'ENREGISTRES, ENCULÉ ?!?

Vous avez un nouveau texto

HEIN !?!

AH MAIS NON ! PAS DU TOUT !

C'EST JUSTE MON ÉDITRICE QUI M'ENVOIE UN TEXTO POUR SAVOIR SI TOUT VA BIEN ET...

DING DONG !

OH C'EST PAS VRAI !...

ALLÔ !?

NAN, JE CONNAIS PAS !!

J'AI PAS LE TEMPS, BORDEL !!

EUH... C'ÉTAIT QUI ?

J'EN SAIS RIEN.

SNIRFLLL

44

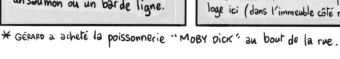

GÉRARD fait visiter sa maison aux deux galeristes.

C'EST BRANCUSI QUI A FAIT ÇA. IL Y A 62 Kg D'ÉTAIN LÀ-DEDANS.

Hi Hi

OOOH...

AH OUI ?

OUI.

VOILÀ . ET STÉPHANE LECANÚ QUI ÉTAIT SON ÉLÈVE, C'EST LUI QUI M'A FAIT LES PLAFONDS, LES POUTRES, LES PATINES À LA ROTHKO...

LÀ C'EST SAM FRANCIS.

BENJAMIN, un copain photographe de GÉRARD qui loge ici en ce moment.

LES PATINES, LÀ, Y'A REINHARDT.

ENFIN TOUT EST PIQUÉ À DROITE À GAUCHE , QUOI...

IL Y A ODILON REDON, LÀ-BAS.

LÀ, C'EST GERMAINE RICHIER.

LÀ, ZADKINE.

drapeau cubain offert par Fidel CASTRO.

LÀ C'EST CAMILLE CLAUDEL.

C'EST LE DERNIER MODÈLE DE RODIN QUI A SERVI AUX "BOURGEOIS DE CALAIS".

LA CHEMINÉE C'EST BERNARD QUENTIN.

J'AIME BIEN LES LETTRES , LÀ .

EH BIN, C'EST "LE PASSAGE DU TEMPS"!

AAAAH

C'EST FANTASTIQUE .

SURTOUT DANS CE VOLUME...

OUI. RIEN N'EST ACCROCHÉ. J'AIME PAS LES ACCROCHAGES.

AH OUI .

OUI, OUI, C'EST UN DÉSORDRE ORGANISÉ.

Les deux vendeuses d'art sont tout ouïe.

LA BEAUTÉ N'A RIEN À VOIR AVEC LA JEUNESSE...

LA BEAUTÉ, C'EST L'ARGENT, C'EST LA GÉNÉROSITÉ...

OUI C'EST VRAI.

OUI.

AH. OUI. BAH OUI.

olivier.

romarin thym, etc.

la terrasse-jardin.

potager.

la chambre à coucher.

Surtout quand il parle d'argent.

LÀ, JE TRAVAILLAIS AVEC UN GALERISTE. J'AI ACHETÉ PAS MAL DE CHOSES CHEZ LUI.

J'AI FAIT ACHETER BEAUCOUP AUSSI.

OUI...

JE LUI AI DONNÉ UN MIRÓ À VENDRE, MAIS BON...

Elle c'est la mère.

...J'AI VENDU UN RODIN, C'EST TRÈS BIEN. C'EST COMME ÇA QUE J'AI PU REFAIRE TOUT ÇA...

NON MAIS LÀ C'EST RIEN. Y'A RIEN, MAIS...

MAIS...?

et elle c'est la fille.

MAIS QUOI ? ALLEZ-Y. ALLEZ AU FOND DE VOTRE PENSÉE.

elle prend de l'assurance.

MMMM

la bête se réveille.

HOHO, Y'EN A UNE QUI N'A PAS FROID AUX YEUX DERRIÈRE SES LUNETTES.

HIHIHI

GRMBLL...

ELLES SONT JOLIES TES BOUCLES D'OREILLES.

AH ! ÇA C'EST PLUTÔT ANNÉES 70.

GRRR... REGARDE-MOI CES PETITS YEUX.

OH CHÉRIE ...

GRRR

Puis...

BON, ON Y VA, À CÔTÉ ?

AH OUI, OUI.

GÉRARD sort de la pièce, et traverse le jardin qui sépare les deux bâtiments.

ALORS VAS-Y, FAIS VOIR TON MACHIN.

?

GRRRR...

Le tableau est déplacé sous la lumière.

OUI C'EST PAS MAL... MAIS LES VERNIS NE SONT PAS TRÈS BEAUX.

VAS-Y, FAIS VOIR ÇA...

HUMPF !

OUI, C'EST DES VERNIS FAITS DANS LES PAYS DE L'EST, ÇA.

FAUDRAIT ENLEVER TOUT LE VERNIS...

BAH, C'EST BIEN, COMME ÇA VOUS POURREZ L'EMPORTER.

MOUI.

HA HA...

HUM, DES BRONZES COMME ÇA J'EN AI PLEIN. ÇA M'INTÉRESSE PAS.

ÇA C'EST...

LES PAPILLONS.

LES PAPILLONS, OUI...

... ET LE SAC VUITTON.

LE SAC VUITTON J'EN VEUX PAS PARCE QUE C'EST TROP...

le sac vuitton

ÇA ME FAIT CHIER, VUITTON.

REGARDEZ, C'EST BEAU QUAND MÊME...

OUI, C'EST BEAU.

ET PUIS C'EST PAS ENCOMBRANT...

OH !

HA HA

C'EST CELUI QUI LE PORTE QUI EST ENCOMBRANT.

(OU CELLE QUI LE PORTE.)

C'EST POUR UNE GROSSE TARLOUZE ÇA. J'EN AVAIS UN COMME ÇA DANS "QUAND J'ÉTAIS CHANTEUR"*.

ET POUR UN CADEAU ?

UN CADEAU ?

LE CADEAU, C'EST MOI.

NON ?

✱ 2006 réalisé par Xavier Giannoli.

49

La jeune vendeuse d'art insiste.

NON, MAIS POUR UN CADEAU À NOËL ?

MAIS ÇA N'EXISTE PAS, NOËL. MOI JE SUIS PAS CROYANT !

HA HA

ATTENDS, ATTENDS...

il réfléchit.

?

" SI TU PARLES À DIEU, TU ES CROYANT. "

...ET S'IL TE RÉPOND, T'ES SCHIZOPHRÈNE.

HA HA !

HU HU !

HI HI

Mais...

BON.

AH BON !?!

MAIS POURTANT JE PENSAIS...

NAN, MAIS BON, ÇA JE VAIS PAS LE PRENDRE. JE LE TROUVE PAS BIEN. TROP SOMBRE. ET PUIS LES MAINS NE SONT PAS RÉUSSIES.

NON, DES COMPOSITIONS COMME ÇA, SI C'EST PAS REMBRANDT, ÇA M'INTÉRESSE PAS.

C'EST UN TABLEAU QUI DEMANDE À ÊTRE NETTOYÉ POUR ÊTRE ÉCLAIRCI...

ET PUIS AVEC UN BEAU CADRE OUVRAGÉ...

NON.

IL MANQUE D'ÉCLAT. J'AI DÉJÀ DES CHOSES COMME ÇA. MIEUX QUE ÇA.

ÇA C'EST PAS MAL, LA NATURE MORTE.

ÇA...

BON ALLEZ, REMBALLE ÇA.

...

NON, JE PRENDS JUSTE CE QUE J'AVAIS DIT. LÀ. CE QUI EST DANS LA CAISSE.

Après avoir salué les deux galeristes Gérard reprend son téléphone...

ALLÔ ?

BON ALORS ? TU T'ES DÉCIDÉE POUR LE BAR DE LIGNE OU POUR LE SAUMON ?

OUI

BON

GRRR...

50

Décembre 2013

Contre toute attente, j'ai fini par obtenir les autorisations pour faire ma bande dessinée sur l'ÉLYSÉE et j'y vais, désormais, le plus régulièrement possible...

Voix fluette de courtisan.

AH ! JE SUIS SÛR QUE TU VAS LES VOIR ET TU DIS : « OHLÀLÀ MONSIEUR LE PRÉSIDENT, SI VOUS SAVIEZ CE QUE DEPARDIEU DIT SUR VOUS... »

MAIS ÇA VA PAS !?

Les mois passent et le documentaire sur DUMAS ne semble pas prêt de sortir...

J'AI L'HABITUDE... EN 2010 J'AI VOULU MONTER UN PROJET SUR RASPOUTINE * AVEC GÉRARD, TOURNAGE EN RUSSIE ET TOUT... ET, À SIX SEMAINES DU TOURNAGE, FRANCE TV DÉCIDE DE SE RETIRER !!!

Avec Arnaud Frilley, dans un café au Trocadéro.

QUAND GÉRARD A SU ÇA IL M'A DIT : VIENS ! ON EST MONTÉS SUR SON SCOOTER ET ON A FONCÉ CHEZ FRANCE TV...

HAHA...

ma nouvelle tenue de travail pour passer inaperçu à l'Élysée.

HOULÀ !

...EN GRILLANT TOUS LES FEUX ROUGES.

IL ARRIVE COMME UN DINGUE AVEC SON CASQUE SUR LA TÊTE ET IL DIT À LA FILLE À L'ACCUEIL : « IL EST LÀ PAPA !? » (PAPA C'ÉTAIT POUR RÉMY PFLIMLIN, LE PRÉSIDENT DE FRANCE TÉLÉVISIONS.)

L'HÔTESSE BREDOUILLE QUE OUI...

EXCELLENT !

... ET LÀ T'AS GÉRARD QUI PREND L'ASCENSEUR ET QUI DÉBOULE COMME UNE BOMBE DANS LE BUREAU DE PFLIMLIN.

AU MILIEU D'UNE RÉUNION !

AH AH ! C'EST UNE SCÈNE DE FILM...

IL EST OÙ PAPA !!?

« QU'EST-CE QUE ÇA VEUT DIRE !?! VOUS VOULEZ PLUS FINANCER LE FILM D'ARNAUD SUR RASPOUTINE ?! »

HA HA !!

« GRRR »

C'EST QUOI CE BORDEL !? TU LÂCHES ARNAUD PARCE QUE T'AS PEUR DES RUSSES ?! C'EST ENCORE TOUS TES FRANCS-MACS DU CINQUIÈME ÉTAGE QUI T'ONT DIT ÇA !! C'EST PAS POSSIBLE ! ON DOIT TOURNER !

Le TROCADÉRO

« JE VOUS AI FAIT FAIRE ASSEZ DE POGNON POUR NE PAS M'ENTENDRE DIRE ÇA ! »

LÀ, T'AS PFLIMLIN, SUPER MAL À L'AISE, QUI DIT QU'IL VA FAIRE QUELQUE CHOSE. IL LUI PROPOSE D'EN PARLER À LA FIN DE SA RÉUNION...

GÉNIAL.

...ET C'EST COMME ÇA QUE FRANCE TV EST FINALEMENT REVENUE DANS LA BOUCLE.

POUR LE DOC SUR DUMAS AVEC ARTE C'ÉTAIT PLUS SIMPLE... MAIS, MAINTENANT, AVEC L'ACTUALITÉ DE GÉRARD, ON GALÈRE POUR AVOIR UNE DATE DE DIFFUSION.

C'EST SÛR.

* RASPOUTINE, 2011 réalisé par Josée DAYAN.

Mars 2014

En effet, après une flambée d'excitation au début de l'année, la presse semble bouder GÉRARD. *

Il continue de tourner mais son nom est moins mis en avant et il ne fait presque jamais l'objet d'interviews. **

Des producteurs s'intéressent à moi et me proposent de travailler sur le projet d'un film politique. Immédiatement je leur parle de GÉRARD pour un rôle clé.

mon producteur.

EUH... GÉRARD DEPARDIEU C'EST COMPLIQUÉ EN CE MOMENT... POUR L'IMAGE...

AH BON ?

Pour le gouvernement aussi le temps a passé et la gauche se prend un gros revers aux élections municipales.

J'APPELLE TOUS LES SYMPATHISANTS À SE RASSEMBLER POUR LE SECOND TOUR QUI...

Jean-Marc AYRAULT plus pâle, voûté et vieilli que l'an passé (sans doute à cause du poids de la culpabilité d'avoir clashé avec la plus grosse star vivante du cinéma français).

Jean-Marc AYRAULT est mis en difficulté et annonce son départ.

AH OUAIS, QUAND MÊME...

LES RÉPUBLICAINS 45%
PS 44%
FN 07%

DRIIINE !

Je ne sais pas si ça a un rapport mais c'est le moment que choisit ARTE pour annoncer la diffusion prochaine de RETOUR AU CAUCASE, le documentaire sur DUMAS...

ALLÔ MATHIEU ? DIS-MOI, ON A UN TRUC UN PEU SPÉCIAL À TE DEMANDER...

VAS-Y JE T'ÉCOUTE.

Ces deux-là s'occupent d'un mer de BD.

Sauf exception, la presse n'en fait pratiquement pas mention.

ALLÔ GÉRARD ?

FIGURE-TOI QU'UN MAGAZINE DE BANDE DESSINÉE SOUHAITERAIT NOUS INTERVIEWER. OUI TOUS LES DEUX.

HAHA !

GRRR
UN MAGAZINE DE BD ?

OUI.

OUI, NAN, MAIS LAISSE TOMBER. JE LEUR AI DIT QUE TU DÉTESTAIS LES JOURNALISTES. ET...

OUI...

EH BIN T'AS QU'À LEUR DIRE DE PASSER CET APRÈM.

A.... AH BON ?!

...MAIS JE COMPTE SUR TOI POUR ÉVITER DE ME FAIRE DIRE DES CONNERIES. PARCE QUE TU ME CONNAIS, QUAND JE SUIS LANCÉ...

OUI OUI, J'AI COMPRIS.

JE VAIS LEUR DIRE.

GÉRARD re de son châ angevin en compagnie Lionel DU un écrivain coécrit ave lui un livre autobiograph « ÇA S'EST COMME Ç sortie en ma chez X

* sauf un formidable numéro spécial de SO FILM...
** sauf un formidable dossier dans FRANCE CULTURE MAGAZINE paru au printemps 2013.

DRiiiNE !!!

QUELQUES INSTANTS PLUS TARD, ME VOILÀ ICI, CHEZ GÉRARD.

D'AILLEURS LE VOICI !

QUI C'EST QUI SONNE, BORDEL ?! C'EST PAS TES COPAINS ?

DRiiiNE !!!

SI SI.

ENFIN, C'EST PAS MES COPAINS, C'EST DES JOURNALISTES.

SALUT ÇA VA ?

ON N'EST PAS TROP EN AVANCE ?

HA HA

NON, NON. ENTREZ.

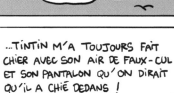

ils ont rappliqué à la vitesse de l'éclair.

BON, LES GARS, JE VOUS FAIS CONFIANCE: PAS DE QUESTIONS À CARACTÈRE POLITIQUE, HEIN ?

ON PARLE UNIQUEMENT DU DOCUMENTAIRE EN AZERBAÏDJAN.

OUI OUI.

BIEN SÛR

L'interview commence.

ALORS, COMMENT S'EST PASSÉE LA RENCONTRE ? GÉRARD EST-CE QUE VOUS LISEZ DES BANDES DESSINÉES ?

PAS TROP...

JE PRÉFÉRAIS DU ASIMOV...

emregistreur.

...TINTIN M'A TOUJOURS FAIT CHIER AVEC SON AIR DE FAUX-CUL ET SON PANTALON QU'ON DIRAIT QU'IL A CHIÉ DEDANS !

HU HU

AH BAH MERCI !!

AU DÉBUT DU TOURNAGE, COMME GÉRARD N'ARRIVAIT PAS À RETENIR MON PRÉNOM IL M'APPELAIT TINTIN.

ÇA FAIT PLAISIR !

OUI OH...

AH !

Tout se passe comme sur des roulettes...

... PENDANT NOTRE VOYAGE, TU NE TE METTAIS PAS EN AVANT, TU FAISAIS TON BOULOT, TU POSAIS DES QUESTIONS ...

GÉRARD se révèle même très disponible, il se prête de bonne grâce au jeu de l'interview...

DES FOIS J'ESQUIVAIS.

PARCE QUE JE NE M'AIME PAS.

AH OUI ?

NON. J'AI JAMAIS PU ME SAQUER.

↑ deuxième enregistreur de sécurité.

J'apprends des choses...

MATHIEU EST UN GOURMAND DE LA VIE, MAIS PAS ENCORE ASSEZ À MON GOÛT. J'AIMERAIS L'EMMENER EN RUSSIE.

AH BON !?

ET EN AFRIQUE AUSSI.

OUI.

IL Y A DE CES NANAS LÀ-BAS...

HEIN ?

HA HA ! IL PLAISANTE

HA HA

JE VAIS ALLER EN RUSSIE !

Puis :

MATHIEU AVAIT EU LE MALHEUR DE ME DIRE QU'IL AVAIT SUIVI LA CAMPAGNE PRÉSIDENTIELLE DU PRÉSIDENT ET QU'IL EN ÉTAIT TRÈS FIER...

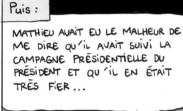

AÏE, ÇA DÉVIE...

Moi, JE LUI AI TOUJOURS DIT CE QUI ALLAIT SE PASSER.

OUI...

ET ÇA N'A PAS ENCORE PÉTÉ !

OUI...

Et :

GÉRARD DEPARDIEU, POURQUOI AVEZ-VOUS QUITTÉ LA FRANCE ?

PURÉE, MAIS ON AVAIT DIT "PAS DE POLITIQUE"!!!

GRRRR

la bête se réveille.

PARCE QUE JE NE VOULAIS PAS PAYER 90% D'IMPÔTS !

...ET BIENTÔT 106 %, À CAUSE DU "PETIT BOLCHÉVIQUE DE L'ÉLYSÉE" COMME DIT POUTINE.

OK OUAIS...

note note

ET VOILÀ C'EST PARTI...

IL EST EN TRAIN DE TUER LES CLASSES MOYENNES...

OUI OUI

BON. S'ILS SONT RÉGLOS, ILS NE METTRONT PAS ÇA EN AVANT DANS LEUR ARTICLE...

Quelques jours plus tard...

QUOI !?!

PURE PEOPLE
DEPARDIEU MOUCHE LE "PETIT
BOLCHÉVIQUE" FRANÇOIS HOLLA

20 MINUTES !
PUREPEOPLE ! LE FIGARO !
ILS NE PARLENT QUE DE ÇA !

AVEC MON NOM ET MA PHOTO EN PRIME !
JE SAVAIS QUE JE N'AURAIS JAMAIS DÛ
ACCEPTER CETTE INTERVIEW !!?

18 avril 2014

COSMOPOLITAN

GÉRARD DEPARDIEU EN PLEINE
FORME : FRANÇOIS HOLLANDE
PETIT BOLCHÉVIQUE DE L'ÉLYSÉE !

REPORTAGE
PHOTOS

GÉRARD VA
M'ATOMISER.

ET À
L'ÉLYSÉE
AUSSI.

Visiblement Gérard DEPARDIEU ne porte pas
François HOLLANDE dans son cœur. L'acteur
s'est livré au mensuel de bande dessinée CA
et a confié tout ce qu'il pensait du Président
Gérard DEPARDIEU s'est longuement livré au journaliste
Mathieu SAPIN

Pourtant, contre toute attente, GÉRARD
me rappelle pour parler de mon projet.

VOILÀ, T'AS QU'À FAIRE ÇA :
TU RACONTES LA VIE D'UN CONNARD
QUI DIT DES CONNERIES.

MAIS NON, GÉRARD...

T'ES PAS UN
CONNARD.

?

BOAF

...ET JE NE RACONTE PAS QUE
TES CONNERIES...

ÇA PARLE DE L'ÉPOQUE AUSSI.

L'ÉPOQUE, OUAIS.
ÇA C'EST BIEN.

UNE ÉPOQUE
DE CONNARDS.

SNIRFL

HA
HA !

En tout cas, la bonne nouvelle, c'est que Gérard est d'accord pour que je fasse une bande dessinée sur lui...

MAIS SI TU LE FAIS, TU LE FAIS VRAIMENT.

IL FAUT QUE TU PARLES DE DEPARDIEU QUI SE CASSE LA GUEULE EN SCOOTER... DEPARDIEU QUI PISSE DANS UN AVION...

EUH... OK.

JE VAIS ESSAYER.

HA HA

Juillet - novembre 2015

BAVIÈRE , PORTUGAL , CATALOGNE

GÉRARD a été invité à MOSCOU pour lire une pièce au théâtre BOLCHOÏ (et aussi, sans doute, pour faire un peu de business - il compte ouvrir une chaîne de rôtisseries là-bas).

T'ES PASSÉ AU JOURNAL DE FRANCE INTER, HIER, TU SAIS ?

AH OUI ?

Arnaud FRILLEY, qui avait aidé GÉRARD à préparer le voyage, m'a proposé de venir avec eux. Aussitôt je me suis précipité au centre de visas russe.

BONJOUR, JE VOUDRAIS FAIRE UNE DEMANDE DE VISA POUR LA RUSSIE !

POUR QUEL MOTIF LA DEMANDE ?

EUH...

BUSINESS TOURISTIQUE ?

Mais à la dernière minute, ARNAUD me rappelle pour me dire de renoncer.

...EN FAIT, ÇA NE VAUT PAS TROP LE COUP QUE TU VIENNES CETTE FOIS-CI. LE VOYAGE A ÉTÉ RÉDUIT DE DEUX JOURS ET TU NE VERRAS PAS GRAND-CHOSE...

OUI, JE COMPRENDS.

GRUMPF

Fin prêt à partir.

Frustration maximale.

Du coup, je me rabats sur un voyage en BAVIÈRE (moins exotique) que GÉRARD entame dès son retour de Russie.

...ON T'A ENTENDU LORS DE TA CONFÉRENCE DE PRESSE À MOSCOU.

AH ! ILS ONT PASSÉ QUOI ?

il est ravi.

Depuis quelque temps GÉRARD fait l'objet d'une série sur la bouffe pour ARTE.

ILS ONT PASSÉ LE MOMENT OÙ TU PARLES DES "AMÉRICAINS QUI CRÉENT DES FOYERS DE MERDE PARTOUT".

HA HA!

il est très ravi.

Le programme s'appelle "À PLEINES DENTS".

ET ALORS, SINON C'ÉTAIT BIEN LA RUSSIE ?

OUI. J'AI VU POUTINE. IL M'A INVITÉ À SON ANNIVERSAIRE.

AH CARRÉMENT !

On y voit GÉRARD sillonner l'EUROPE en compagnie de de Laurent AUDIOT, le chef cuisinier de LA FONTAINE GAILLON.

OUI, QUAND JE SUIS ARRIVÉ À MOSCOU J'AI APPELÉ ALINA✳ JE LE FAIS TOUJOURS. ELLE ME DIT : "ÇA LUI FERA TRÈS PLAISIR SI VOUS VENEZ À SON ANNIVERSAIRE, VENEZ !"

C'ÉTAIT TRÈS BIEN.

SHIT ! POURQU J'AI PAS FAIT FORCING POUR ALLE

La FONTAINE GAILLON, c'est le restaurant de GÉRARD à PARIS.

ET VOUS AVEZ DANSÉ ?

NON. IL M'A DIT : "JE SUIS CONTENT, J'AI GAGNÉ LA COUPE."

LA COUPE ?

HA HA

Tous les deux, ils rendent visite à des producteurs agricoles, des agriculteurs, des pêcheurs, etc.

IL REVENAIT DE SOTCHI. IL ÉTAIT ALLÉ DISPUTER UNE COMPÉTITION DE HOCKEY...

ET C'EST LUI QUI AVAIT GAGNÉ LA COUPE !!

AH OUAIS...

EUH ...

Un tour d'EUROPE de la bonne chère en somme.

JE LUI AI DIT : "TU AS GAGNÉ LA COUPE, C'EST BIEN. MAIS, EN PLUS, TU FAIS CHIER LE MONDE ET ÇA J'ADOOOORE !!!"

HA HA! HA !!

✳ Alina KABAEVA, la petite amie de V. POUTINE ? (non confirmé par le KREMLIN et d'ailleurs il est assez mal vu d'en parler...)

...TU FAIS CHIER LE MONDE ET T'AS RAISON !!! HA HA HA !!

... PARCE QUE, QUAND TU VOIS TOUS CES CONNARDS QUI VEULENT SE DÉBARRASSER DE BACHAR EL-ASSAD, ON VOIT CE QUE ÇA DONNE.

DES FOYERS DE MERDE !

PARTOUT !

Durant le tournage en BAVIÈRE, entre deux prises, GÉRARD prépare la promo de son nouveau livre. "INNOCENT" fait 190 pages, GÉRARD y convoque ses souvenirs et donne ses impressions sur le monde qui l'entoure.

Depardieu
Innocent

le CHERCHE-MIDI

BON, TU L'AS LU, LE LIVRE ? T'AS EU LES ÉPREUVES ?

l'arrière du restaurant HÄRING sur les bords du lac.

→ odeur d'humus.

éditions du CHERCHE-MIDI sortie le 19 novembre 2015.

... MAIS L'INNOCENCE... C'EST LA DÉFINITION MÊME DE L'INNOCENCE! L'INNOCENCE C'EST : "NE PAS NUIRE".

GÉRARD parle à BERTRAND DE LABBÉ, son agent.

OUI, OUI... IL Y A DEUX OU TROIS MENTIONS À LA SPIRITUALITÉ DANS LE LIVRE.

VOILÀ. LA FOI C'EST "ÊTRE VIVANT".

C'EST AVOIR UN DÉSIR.

ON EST DANS UN MONDE EN TOTALE DISHARMONIE...

ON EST DANS UN MONDE DE CONNARDS, QU'EST-CE QUE TU VEUX QUE JE TE DISE ?...

HÄRING

← calme.

paysage romantique.

Volupté.

61

ON NE SAIT PLUS OÙ ON EN EST.

ON EST DÉPASSÉS.

DEPUIS TRÈS LONGTEMPS.

...LA MONDIALISATION EXISTE ET ILS NE S'EN SONT PAS RENDU COMPTE CES ABRUTIS.

...MAIS IL Y A UNE AUTRE SPIRITUALITÉ. QUE JE DIRAIS... "AIMANTE".

OUI, ÇA DEVAIT SORTIR LE 13 NOVEMBRE, ALORS TU PARLES...

il parle des jihadistes responsables des attentats du 13 novembre 2015.

MAIS ILS VONT RECOMMENCER CES FUMIERS, TU VAS VOIR...

MAIS L'ISLAM C'EST PAS ÇA ! JE L'AI LU, MOI, LE CORAN. Y'A RIEN DE TOUT ÇA DANS LE CORAN, RIEN !   ✱

DANS MON LIVRE ? DES LONGUEURS ?

TU SAIS, JE VIENS DE TERMINER "VIE & DESTIN" DE VASSILI GROSSMAN...

IL Y A AUSSI QUELQUES LONGUEURS MAIS ÇA N'EMPÊCHE PAS QUE LE LIVRE SOIT FORMIDABLE...

Stéphane BERGOUHNIOUX vient voir si GÉRARD a terminé son coup de fil (il reste une scène à tourner avec des saucisses)...

VASSILI GROSSMAN VIE ET DESTIN

VIE et DESTIN de Vassili GROSSMAN 1000 pages.

✱ GÉRARD a même eu sa période musulmane. Il s'est converti à l'ISLAM en 1971, pendant quelques mois.

GÉRARD fonctionne par mots clés qui reviennent plusieurs fois dans la journée.

REGARDE CETTE VACHE, COMME ELLE EST BELLE.

ELLE ME FAIT PENSER À MA MÈRE.

ON DIRAIT LA LILETTE.

camionnette avec la caméra qui filme la voiture de Gérard.

?

BMW louée pour les besoins du film.

Il peut y en avoir deux ou trois mais, au fil des jours, les thématiques évoluent.

LAQUELLE ?

CELLE DU MILIEU, LÀ, LA DEUXIÈME AVEC SON ŒIL COMME ÇA.

Hier, le mot clé était "FOYER DE MERDE AMÉRICAIN".

ELLE EST LÀ.

COMME ÇA ...

Mais aujourd'hui, le mot clé est "CERISE".

IL N'Y A RIEN QUE TU AIMES EN AMÉRIQUE ?

Si.

voiture
e vers
e village
in où
RARD doit
uvrir des
-de-vie
c le nez).

J'AIME BIEN LEURS HOT DOGS. AVEC DES OIGNONS, LÀ. C'EST BON.

MÊME SI TU METS DEUX JOURS À LES DIGÉRER ...

Ou plutôt "QUEUE DE CERISE".

JE PAYE ÇA. TROIS COINGS. ET UNE PRUNE.

IL VA ME FAIRE UN PRIX ? Y'A PAS DE T.V.A., LÀ.

fabricant de schnaps.

IL EN A À LA CERISE ? J'AIME BIEN LA CERISE.

...À CAUSE DES DÉCOCTIONS AUX QUEUES DE CERISE.

ÇA ME RAPPELLE MA MÈRE.

Dans une auberge voisine, l'équipe demande à GÉRARD d'enregistrer des sons pour les insérer en voix off dans le documentaire.

...PARCE QUE LE SEUL ENDROIT OÙ J'AIME ÊTRE C'EST "AILLEURS"...

← là il est sérieux...

...AVEC MON ÉQUIPE D'ENCULÉS !!

PFFFT

là il fait le zozo.

HA HA

TU ME FERAS UN MACHIN AVEC TOUS LES SONS QUE VOUS ALLEZ COUPER...

OK, GÉRARD, ON VA TE FAIRE UNE PETITE COMPILATION.

VOILÀ.

PARCE QUE J'AI UN AMI QUI FAIT COLLECTION DE MES CONNERIES... DE MES DÉLIRES.

Un peu plus tard, sur une plage au bord du lac de STARNBERG.

TU SAIS, ICI, C'EST UNE RÉGION QUI A ÉTÉ TRAVERSÉE PAR LES ARMÉES NAPOLÉONIENNES.

IL Y A BEAUCOUP DE DESCENDANTS DE GROGNARDS DANS LE COIN.

OUAIS...

"GROGNARD est le mo du jour

CLIC

DES GROGNARDS QUI ONT VIOLÉ ET PILLÉ QUAND ILS SONT PASSÉS...

Soudain, l'œil de lynx de GÉRARD repère quelque chose...

NON !! NO PHOTO !!!

!?

HEIN !?

?

Un paparazzi, un vrai de vrai !

GRRRR

Sueur fébrile.

Téléobjectif géant.

grosses baskets pour courir vite.

REGARDE-LE, IL SE BARRE CET ENCULÉ !

ZIP

Je n'ai jamais vu un type détaler aussi vite. En un clignement d'œil il avait disparu.

BON, JE VAIS PRENDRE MA VOITURE. JE VOUS REJOINS AUX POISSONS.

SNIRFL

C'EST BIEN.

Manque de bol pour lui, je le retrouve 5 minutes plus tard sur le parking.

Sa voiture est garée juste à côté de la mienne.

ordinateur pour transférer les photos.

C'est la première fois que je vois un paparazzi d'aussi près.

Visiblement, il n'aime pas trop qu'on le prenne en photo.

Sur les bords du lac TEGERNSEE (BAVIÈRE), GÉRARD cause avec des badauds en attendant de goûter des poissons fumés.
Je m'installe à l'écart pour compléter des notes dans mon carnet.

retraités allemands de passage.

ON VOUS A ADORÉ DANS "CYRANO".

AH MERCI, OUI, C'EST UN TRÈS BEAU TEXTE. MERCI.

OUI, MAIS VOTRE AMITIÉ AVEC MONSIEUR POUTINE, PAR CONTRE...

OUI OUI, C'EST BIEN.

poissons qui sèchent.

POC!

JE... JE NOTE DES TRUCS...

FAIS VOIR.

Comme GÉRARD ne semble pas pressé de revenir causer avec le pêcheur local l'équipe poursuit le tournage sans lui.

MOI J'AURAIS JAMAIS PU TUER DES CHATS.

DANS DES SACS, TU SAIS QUAND TU LES NOIES.

EUH...

OU UN PIGEON AU SANG, SI TU VEUX. OU UN CANARD... TU L'ÉTOUFFES POUR GARDER SON SANG. PARCE QUE SI TU LE SAIGNES IL SE VIDE.

HINHIN.

OÙ VEUT-IL EN VENIR ?...

...ET LE CANARD, TU LE CUIS ET PIS APRÈS TU LE PRESSES.

AH OUI...

COMME UN CITRON.

BEURK

C'EST UN SANG QUI A CUIT À L'INTÉRIEUR, TU VOIS ?

BEURK BEURK

Gérard n'est parfois pas facile à suivre il y a toujours un fil invisible qui guide ses pensées. Après avoir enchaîné sur les nazis et les criminels de guerre il évoque les familles de consanguins qui n'ont "aucune idée de ce qu'est la vie".

C'EST DES ÉDUCATIONS TERRIBLES...

...Y'EN A QUI ONT BEAUCOUP D'EAU DANS LA TÊTE. FAUT PAS QU'ILS MONTENT TROP EN ALTITUDE PARCE QUE ÇA LEUR ATTAQUE LE CERVEAU !

DANS CERTAINES FAMILLES ENTRE ACCOUCHER ET CHIER Y'A PAS DE DIFFÉRENCE.

ÇA FOUT LES JETONS.

Ces deux pa ont reconnu Ils profitent le reste de l'équipe partie tou plus loin s'appro discret

QU'EST-CE QU'ILS FONT CEUX-LÀ ?

ILS VEULENT UN AUTOGRAPHE.

OUI BAH ATTENDS, C'EST DES PAPARAZZI.

LATER ! LATER !

GRRR

OK OK

GÉRARD reprend le fil de ses pensées (la religion, les sectes, la puissance de l'esprit...).

JE NE SAIS PAS CE QUE C'EST QU'UN MIRACLE.

PAR EXEMPLE, J'AI UN GENOU QUI S'EN VA, LÀ...

QU'EST-CE QUE JE PEUX FAIRE ?

LA VIEILLESSE, C'EST QUAND TU ACCEPTES QUE TON GENOU SE BLOQUE.

IL FAUT QUE JE FASSE DES EXERCICES POUR ESSAYER DE LE RÉÉDUQUER.

PARCE QUE C'EST PAS LE GENOU QUI VA ME FAIRE RETROUVER LA CONFIANCE.

C'EST MOI QUI DOIS LUI PARLER POUR LE FAIRE SE RELEVER.

C'EST COMME L'AUTRE FOIS J'ÉTAIS DANS MA CHAMBRE À L'HÔTEL, À MARSEILLE,* ET J'AI VOULU CHERCHER QUELQUE CHOSE SOUS LE LIT...

JE ME SUIS PENCHÉ POUR LE RAMASSER ET LÀ, **PAF !** BLOQUÉ ! J'AVAIS PAS D'APPUI ! ET J'ÉTAIS CLOUÉ PAR TERRE AVEC CETTE JAMBE...

J'AI CHANGÉ DE JAMBE ET IL A FALLU QUE JE TOURNE SUR MOI-MÊME COMME UN MALADE.

J'ÉTAIS COMME UNE ESPÈCE DE GROS PORC QUI ROULAIT SUR LA MOQUETTE POUR TROUVER UN APPUI AVEC CE BRAS-LÀ POUR QUE JE PUISSE ME RELEVER.

ÇA NE RÉPONDAIT PLUS.

DONC, C'EST POUR ÇA, JE NE VEUX PAS FAIRE EN SORTE QUE LE GENOU AIT RAISON.

OK.

SNIRFL

* pendant le tournage de la série "MARSEILLE".

L'ÂME C'EST PAREIL.

PAR EXEMPLE, T'AS UN PONT À SAUTER...

T'AS ÇA À SAUTER.

BON.

...ET TOUT D'UN COUP, TON CORPS SE BLOQUE, S'ARRÊTE PARCE QUE TU TE DIS : "NON, J'POURRAI PAS!" "JE PENSE QUE JE VAIS ME PÉTER... LA CHEVILLE..."

SI TU PENSES ÇA T'ES CUIT.

OUAIS !

ALORS, CE QU'IL FAUT, C'EST CHASSER TOUT ÇA DE TA TÊTE.

OUAIS.

ET JE CHASSE ÇA DE MA TÊTE. ET J'ARRIVE (JE SAIS PAS COMMENT JE ME PÈTE PAS QUELQUE CHOSE), J'ARRIVE MAIS COMME UN TOMBEREAU ET

VLAAAAA!!!!

!?

...ET JE ME DIS : "ÇA Y EST, JE L'AI FAIT."

C'EST SÛR QUE QUELQU'UN D'AUTRE, À TA PLACE, SERAIT DÉJÀ MORT DIX FOIS *

JE SAIS PAS.

MAIS JE NE VEUX PAS.

C'EST COMME LA MOTO.

JE SUIS COMPLÈTEMENT ÉQUILIBRÉ À 60, À 80, À 120, À 140 KM/h.

MAIS ÇA C'EST PARCE QUE T'AS PAS PEUR.

NON, J'AI PAS PEUR.

DÈS QUE TU COMMENCES À FLIPPER C'EST FINI.

AH, TU PEUX PAS !

DÈS QUE TU RÉFLÉCHIS TU ARRÊTES TON CORPS. ET LÀ, C'EST L'ACCIDENT !

GULP !

* GÉRARD a déjà subi 5 pontages et 3 accidents graves de moto (dont un qui l'a plongé dans le coma pendant plusieurs jours

70

...MAIS, QUAND MÊME, TU AS DES PEURS ?

NON.

J'AI DES SURPRISES.

HUM.

MOI, J'AI L'IMPRESSION QUE, CE QUE TU SOUHAITES ÉVITER À TOUT PRIX, C'EST DE PASSER UNE JOURNÉE TOUT SEUL, PAR EXEMPLE...

JE ME TROMPE ?

EUH...

NON.

AVANT, ÇA M'ÉTAIT IMPOSSIBLE.

AVANT J'AVAIS PEUR DE MES PROPRES BRUITS COMME DE CEUX D'UN INCONNU DANS UNE CABINE À CÔTÉ...

JE POUVAIS PAS RESTER DANS UNE CHAMBRE D'HÔTEL TOUT SEUL ET, COMME JE DÉBUTAIS AU CINÉMA, IL FALLAIT QUE JE SORTE ET QUE JE BOIVE JUSQU'À 4 HEURES DU MATIN.

JE RENTRAIS IVRE MORT CHEZ MOI UNIQUEMENT POUR POUVOIR DORMIR.

...ET DONC T'ES OBLIGÉ D'AVOIR UNE CERTAINE SANTÉ.

AH OUAIS.

SI J'ENCAISSAIS MOINS, J'AURAIS PAS EU TOUS CES PROBLÈMES.

BAH, ÉVIDEMMENT.

CELA DIT, MAINTENANT J'APPRÉCIE...

LA SOLITUDE.

La pause est terminée. GÉRARD doit aller tourner une nouvelle scène. On nous apporte des jus de pomme.

T'EN AS PAS À LA CERISE ?

?

GRRRR...

AAAH. ARRÊTE AVEC ÇA ! PAPARAZZI !!

bredouille en anglais.

NEIN!

NAN! CUT EVERYTHING WHAT YOU DID !

GRRR...

C'EST PAS VRAI !!

OK OK NO FOR NEWSPAPER NO PAPARAZZI ...

Siii...

IS IT NEWSPAPER ?

EUH ...

YES IT IS FOR NEWSPAPER ...

IN FACT

YOU KNOW, YOU MUST ASK TO THE PEOPLE WHEN YOU TAKE THE PICTURE...

OUI, C'EST MIEUX.

IT IS BETTER. IT IS MORE POLITE.

YES.

Stéphane BERGOUHNIOUX.

I'M NOT AGAINST THE NEWSPAPERS BUT YOU HAVE TO ASK...

OTHERWISE IT'S A RAPE, YOU KNOW ?

GRRRR...

GRRRR!!

HA HA

HAHAHA

À PLEINES DENTS !

Le tournage de la série "À PLEINES DENTS" s'étale sur une bonne partie de l'année 2015.
Avec Laurent AUDIOT, Gérard visitera pas moins de 7 pays.
Au gré des voyages ils mangent...

...des weißwürsts en ALLEMAGNE.

TIENS, MANGE, TOI ! T'ES TROP MAIGRE.

DANS LES CAMPAGNES FRANÇAISES ON N'AIME PAS LES GENS MAIGRES.

ON LES TUE !

HA HA

méraman eut pas fendre, en train filmer.

... des escargots grillés en CATALOGNE.

ÇA VIT COMBIEN DE TEMPS UN ESCARGOT ?

CEUX-CI ONT PEU VÉCU. TRÈS PEU.

gastronome catalan.

PARCE QUE POUR FAIRE UNE COQUILLE COMME ÇA C'EST UN SACRÉ TRAVAIL... SLURP.

...du cochon de lait à la broche à COIMBRA.

J'AI JAMAIS MANGÉ UN COCHON PAREIL.

LE COCHON, IL DOIT ÊTRE FIER D'ÊTRE CUISINÉ COMME ÇA.

SIM

...des châtaignes et des pâtisseries à TENTÚGAL (PORTUGAL).

SI LES FAUTEUILS DU CONSEIL DES MINISTRES POUVAIENT PARLER ILS T'EN RACONTERAIENT DE BELLES...

TOUS LES PETS QU'ILS ONT REÇUS...

... de la viande bovine et de la choucroute dans la campagne munichoise.

COMBIEN TU TOUCHES POUR UNE VACHE COMME CELLE-CI ?

3000€.

3000€ SUR PATTES ?

cette vache fait des câlins au fermier (du jamais-vu).

...du miel sur le toit de l'Opéra de PARIS.

LÀ, Y'EN A UN PAQUET. ÇA Y VA.

C'EST COMME ÇA QUE DEVRAIENT TRAVAILLER LES FONCTIONNAIRES. HA HA !!

Janvier 2016

BUSSACO

GÉRARD joue dans un nouveau film. Une histoire tirée du roman "LE DIVAN DE STALINE" de Jean-Daniel BALTASSAT.

HUM!

BOM DIA, SENHOR.

BOM DIA. SOU UM AMIGO DO SENHOR GÉRARD DEPARDIEU. SABE ONDE ESTÁ?

NÃO SEI SENHOR.

MAS...

NÃO SEI SENHOR.

OK, LAISSEZ TOMBER.

NÃO SEI SENHOR.

ALLÔ GÉRARD?

L'action se passe en CRIMÉE dans le palais d'été de STALINE.

OUI, JE VIENS D'ARRIVER.

AH OK. JE FAIS LE TOUR...

Mais le tournage a lieu à BUSSACO au PORTUGAL.

CHUT!...

Le palais de BUSSACO est immense. Il sert à la fois de décor et d'hébergement pour l'équipe du film.

BONJOUR, JE SUIS MATHIEU

BONJOUR MATHIEU...

GRMBL

OH BORDEL

GÉRARD VOUS A PRÉVENUE DE MON ARRIVÉE ?

NON JE NE CROIS PAS.

Fanny ARDANT à la grande classe naturellement.

dans la pièce voisine, la "baignoire de Staline."

OUI, VOILÀ. C'EST MATHIEU. IL ME SUIT ET IL NOTE LES CONNERIES QUE JE DIS.

FORMIDABLE.

VOILÀ.

HA HA

ALORS BIENVENUE, MATHIEU.

BON ALLEZ, ON VA BOUFFER.

GÉRARD, APRÈS LE DÉJEUNER TU ENTRES DANS LA BAIGNOIRE.

GRRR

OUI OUI, ON VERRA.

AH SI SI SI.

GRRR, DANS UNE BAIGNOIRE ON SE LES GÈLE À MORT.

QUAND TU ENTRES DANS UN BAIN, TU SAIS PAS QUAND TU VAS EN RESSORTIR...

FANNY ARDANT M'A PARLÉ

GRRR

HUM.

OUI ALLÔ ?

OUI, ON DOIT FAIRE UNE SCÈNE CET APRÈS-MIDI.

AVEC UNE BAIGNOIRE...

touristes espagnols qui ont reconnu GÉRARD (ou STALINE).

...DANS UNE BAIGNOIRE ON SE LES GÈLE À MORT.

MOI JE LEUR AI DIT : JE VEUX PAS DE ÇA !

GRACIAS

GÉRARD attend l'heure du repas dans le grand salon (vide).

QU'EST-CE QU'ON SE FAIT CHIER.

QUAND EST-CE QUE ÇA VA ENFIN PÉTER ?

ÇA PÈTE DÉJÀ PAS MAL, JE TROUVE.

DANS LE MONDE, JE VEUX DIRE...

BOUAIF.

TU VOIS, SI UNE FEMME ÉTAIT EN TRAIN DE SE BRANLER DEVANT MOI, JE ME DEMANDE SI JE NE DÉTOURNERAIS PAS LES YEUX...

POUR REGARDER DANS LE VIDE...

COMME ÇA.

il fait le regard dans le vide.

JE LUI DIRAIS : "ÇA Y EST, T'AS JOUI ? BON, BAH, C'EST BIEN, ON PEUT Y ALLER."

HA HA!

HUM!

C'EST PRÊT. SI VOUS VOULEZ, VOUS POUVEZ VENIR DÉJEUNER.

AH.

OK.

ALLÔ ?

À 12h32, je reçois une alerte info sur mon smartphone.

...ILS VEULENT ME FOUTRE DANS UNE BAIGNOIRE CET APRÈS-MIDI.

JE VEUX PAS DE ÇA !

?

...NON, ICI IL FAIT UN TEMPS DÉGUEULASSE. ON EN A POUR QUINZE JOURS ILS ONT DIT.

GALABRU EST MORT.

la réserve de costumes contient des dizaines d'uniformes soviétiques.

ATTENDS UNE SECONDE.

LA NOUVELLE VIENT DE TOMBER.

Pendant le déjeuner, les coups de fil se succèdent.

...QU'EST-CE QU'IL ÉTAIT GENTIL MON MICHEL...

la cantine de tournage est installée dans un bâtiment à quelques mètres du palais.

ENFIN, S'IL EST PARTI DANS SON BAIN, TRANQUILLE, C'EST PAS MAL..

OUI, IL Y A LES CROQUE-MORTS QUI M'ONT APPELÉ DÉJÀ... Y'A MICHEL DELPECH AUSSI QU'EST PARTI...

..OUI, T'AS QU'À LEUR DIRE QUE JE SUIS MORT, MOI AUSSI. HEIN ?!

IL AVAIT QUEL ÂGE GALABRU ?

93 ANS.

OH ÇA VA.

IL ÉTAIT SUR SCÈNE JUSQU'AU BOUT.

OUI, OUI, JUSQU'AU BOUT.

GRRR...

C'EST LES JOURNALISTES QUI TE HARCÈLENT ?

OUI.

MAIS Y'A RIEN À DIRE.

MAIS OUI...

Gérard Depardieu

JE LEUR DIS : "LAISSEZ-MOI MON DEUIL, ABRUTIS !!!"

JE TE LE DIS, ÇA COMMENCE TRÈS MAL CETTE ANNÉE.

TRÈS MAL !

AH BORDEL !

Emma SEIGNER sa coif scène.

la doudoune de Gérard offerte par le centre du cinéma russe.

GRRR... Y'A ENCORE TOUS CES PUTAINS D'ESCALIERS À MONTER.

PFFF

ON VA LÀ-BAS.

ROMAN,* IL FAIT TOUJOURS DU SPORT ?

OUAIS.

* Roman POLANSKI est le compagnon d'Emmanuelle SEIGNER. Il a 80 ans.

IL EST EN TRÈS BONNE FORME PHYSIQUE ?

OUAIS.

EH BIN, TU VOIS, MOI J'AIMERAIS PAS.

HA HA !

AH NON !

NON, MOI, JE VEUX PAS VIVRE JUSQUE-LÀ.

OH ?

JE COMPTE VIVRE JUSQU'À 74 OU 76 ANS. *

AH OUAIS ?!

JE ME DONNE ENCORE 8 ANS. PAS PLUS.

MAIS, ÇA VA PAS !?

AH SI SI.

VRAIMENT.

BON, IL PLEUT PLUS, LÀ ? JE PEUX SORTIR ?

IL PLEUT MOINS.

BON ALLEZ.

RHAAAA !!

OH BORDEL !

il jette son corps en avant.

QUEL PUNK !

GRRR

* Gérard a 67 ans.

85

Comme on parle de cinéma, le sujet DEPARDIEU ne tarde pas à s'inviter dans la conversation.

...MAIS VOUS SAVEZ QUEL EST SON PROCHAIN SUJET ?

MATHIEU PRÉPARE UNE BANDE DESSINÉE SUR GÉRARD DEPARDIEU.

OUI, JE SUIS AU COURANT, IL M'EN A PARLÉ.

VOUS LE CONNAISSEZ, MARINA ?

JE L'ADORE !

JE L'AIME MÊME PLUS QUE ÇA...

C'EST VRAI. JE TROUVE QUE C'EST UNE PERSONNALITÉ FASCINANTE.

OUI, C'EST UN ACTEUR DE TRÈS GRAND TALENT...

LE MEILLEUR !

... AVEC MALHEUREUSEMENT DES CÔTÉS IGNOBLES.

SON AMITIÉ AVEC KADYROV,* POUTINE...

!

OUI, OUI, IL Y A DES CHOSES QUE JE NE CAUTIONNE PAS...

MAIS MON BUT N'EST PAS DU TOUT DE LUI TROUVER DES EXCUSES OU DE CHERCHER À LE DÉDOUANER DE QUELQUE CHOSE, MAIS SIMPLEMENT DE FAIRE UN PORTRAIT LE PLUS JUSTE POSSIBLE...

OUI, BIEN ENTENDU...

LÀ, ÇA DEVIENT CHAUD...

QU'ON LE VEUILLE OU NON, MONSIEUR LE PRÉSIDENT, DEPARDIEU C'EST LA FRANCE.

IL REPRÉSENTE LA FRANCE À L'ÉTRANGER.

MMM...

pas trop convaincu.

J'AI EU L'OCCASION DE VOYAGER AVEC LUI ET IL EST INCROYABLEMENT CONNU. DANS LE MONDE ENTIER.

DES FRANÇAIS AUSSI CÉLÈBRES ET QUI SONT EN VIE, IL Y EN A TRÈS PEU...

IL Y A JOHNNY...

PAS DU TOUT. JOHNNY HALLYDAY, PERSONNE NE LE CONNAÎT HORS DES FRONTIÈRES FRANÇAISES...

DEPARDIEU EST UNE STAR INTERNATIONALE.

LES DEUX FRANÇAIS VIVANTS LES PLUS CONNUS AUJOURD'HUI SONT GÉRARD DEPARDIEU ET FRANÇOIS HOLLANDE, MONSIEUR LE PRÉSIDENT.

HUM. AH.

* Ramzan KADYROV, président de la TCHÉTCHÉNIE.

énorme fayot.

MAIS, VOUS LUI AVIEZ PARLÉ, N'EST-CE PAS ?

OUI. JE L'AI EU AU TÉLÉPHONE.

ET ALORS ?...

C'ÉTAIT PAS...

FACILE.

C'ÉTAIT SUITE À LA DÉCLARATION D'AYRAULT QUI AVAIT RÉAGI AU DÉPART DE DEPARDIEU POUR LA BELGIQUE.

AYRAULT L'AVAIT QUALIFIÉ DE "MISÉRABLE".

IL AVAIT DIT "MINABLE", EN FAIT...

"MINABLE", AH OUI. CE QUI EST SANS DOUTE ENCORE PIRE.

BON ALORS, JULIE, SA FILLE (QUI EST UNE PERSONNE TRÈS BIEN), M'A APPELÉ...

... ET ON A ORGANISÉ UN COUP DE TÉLÉPHONE.

ET ALORS ?...

ÇA A PLUTÔT BIEN COMMENCÉ.

IL M'A PARLÉ DE SES PARENTS COMMUNISTES, DE SON ENFANCE À CHÂTEAUROUX... IL M'A EXPLIQUÉ QU'IL AVAIT BIEN CONNU MITTERRAND... ETC.

MAIS APRÈS, LA CONVERSATION A COMMENCÉ À PRENDRE UN TOUR PLUS... DIFFICILE.

...IL M'A PARLÉ DE SES IMPÔTS, DES FRANÇAIS QUI ÉTAIENT SINISTRES, ETC. LE TON EST MONTÉ... C'ÉTAIT IMPOSSIBLE D'EN PLACER UNE...

HAHA ! J'IMAGINE TRÈS BIEN.

ET ON S'EST QUITTÉS COMME ÇA...

OUI, IL EST BLESSÉ.

IL A L'IMPRESSION QU'ON NE VEUT PAS DE LUI.

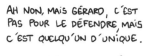

AH NON, MAIS GÉRARD, C'EST PAS POUR LE DÉFENDRE, MAIS C'EST QUELQU'UN D'UNIQUE.

JE L'AIME SANS RÉSERVES ! L'ACTEUR QU'IL EST FAIT QUE JE NE VEUX RIEN JUGER DU RESTE...

Marina a tourné avec DEPARDIEU dans "RRRrrrr !!!" d'Alain CHABAT.

POUR MOI C'EST UN ÉNORME MALENTENDU. SON DÉPART N'A RIEN À VOIR AVEC LA POLITIQUE...

LE MONDE EST DEVENU TROP ÉTRIQUÉ POUR GÉRARD. C'EST POUR ÇA, IL CHERCHE DE NOUVELLES ÉMOTIONS, MAIS IL N'Y A PLUS RIEN QUI SOIT À SA MESURE.

J'AI TOURNÉ AVEC LUI ET JE PEUX VOUS DIRE QUE C'ÉTAIT COSMIQUE. UNE EXPÉRIENCE INCOMPARABLE...

OUI.

GÉRARD, C'EST PAS QUELQU'UN AVEC QUI ON MÉGOTE. QUAND ON L'AIME, C'EST EN ENTIER.

Ensuite, la conversation dévie sur le meeting de Nicolas SARKOZY à VILLEPINTE en 2012 et sur l'apparition surprise de GÉRARD devant les 80 000 militants.

J'Y ÉTAIS ALLÉ PAR CURIOSITÉ. POUR VOIR COMMENT C'ÉTAIT. EH BIN, J'AI PAS ÉTÉ DÉÇU...

AH BON ?

il écoute intensément. On sent que ça l'intéresse VRAIMENT !

En sortant du bureau présidentiel, je salue tout le monde et je me précipite dans un café pour écrire d'un jet le déroulé de la conversation qui vient d'avoir lieu...

GNAGNAGNA "IL AVAIT DIT 'MINABLE' EN FAIT..."

...dans le carnet que GÉRARD a sous les yeux en ce moment même !

OUVERT PILE À LA MÊME PAGE !!

le JT portugais.

le serveur s'en fout complètement d'avoir DEPARDIEU dans son restaurant.

SNIRFF

de la viande.

PORTUGAL

ZZZ

J'ai l'impression que GÉRARD, ça lui convient d'être là. De manger des côtelettes dans une cantine en regardant les infos (en portugais).

COMMENT IL S'APPELAIT LE TYPE QUI ÉLEVAIT DES COCHONS DE LAIT, À COIMBRA ?

VIDAL ?

OUI, VIDAL.

Pas besoin de parler.
Tout le monde lui fout la paix.

J'AIMERAIS BIEN LE REVOIR, VIDAL.

ALLER MANGER UN COCHON DE LAIT GRILLÉ...

GMBRL

MMM

OUI, C'EST PAS LOIN.*

* En effet, deux mois plus tôt nous étions à quelques kilomètres d'ici, à la table de VIDAL, éleveur de cochons de lait. voir page 73.

En repensant à cette soirée chez VIDAL, j'ai le souvenir de GÉRARD, seul sur la terrasse, parlant avec le chien de la maison. Il a parlé avec le chien pendant au moins dix minutes. Un vrai dialogue. Personne ne faisait attention à lui. Je crois que je n'ai jamais vu GÉRARD aussi peina

J'AI L'IMPRESSION QU'IL Y A UNE QUANTITÉ INCROYABLE DE GENS QUI VIVENT SUR TON DOS, À QUI TU DONNES DE L'ARGENT OU QUE TU AIDES DE DIFFÉRENTES MANIÈRES...

HOULÀ, SI TU SAVAIS !...

BUSSACO

T'AS PAS LE SENTIMENT D'ÊTRE... COMME UNE VACHE À LAIT, PARFOIS ?

NON, C'EST PAS ÇA...

QU'EST-CE QUE TU VEUX Y FAIRE ?

NON, CE QUE J'AIME PAS C'EST LES VOLEURS.

JE DÉTESTE LES VOLEURS.

GRMBLL

TU AS COMBIEN DE CHÂTEAUX, EN FAIT ?

DEUX.

LE CHÂTEAU DE VALIENNES ET LE CHÂTEAU DE TIGNÉ.

MAIS J'Y HABITE PAS, TU ME VOIS, MOI, HABITER DANS UN CHÂTEAU ?

C'EST POUR ÇA, J'AI FAIT AMÉNAGER LES COMMUNS.

IL Y A 70 À 80 PERSONNES QUI TRAVAILLENT DANS MES VIGNOBLES. DES TERRES QUE J'AI ACHETÉES AU FUR ET À MESURE ...

MAIS BON, J'Y VAIS PAS SOUVENT.

ET DES VOITURES ? TU EN AS ? JE TE VOIS TOUJOURS CIRCULER EN SCOOTER ...

J'EN AI PLEIN.

J'AI DES JAGUAR, DES FORD MUSTANG, DES FERRARI... JE SAIS PLUS.

AH OUAIS, QUAND MÊME...

ma Citroën de location.

TU LES CONDUIS DES FOIS ?

NON.

ELLES SONT PAS CHEZ MOI, ELLES SONT DANS UN GARAGE QUELQUE PART...

MAIS BON, C'EST DE LA FERRAILLE. IL FAUT LES FAIRE ROULER, C'EST TOUT UN BORDEL.

C'EST NOUNOURS QUI S'EN OCCUPE.

...ET T'AVAIS PAS UNE AFFAIRE DE JETS PRIVÉS ? JE T'ENTENDAIS EN PARLER L'AUTRE JOUR...

SI, MAIS J'AI TOUT VENDU.

ILS M'ONT ARNAQUÉ CES SALAUDS ! J'AI PERDU UN OU DEUX MILLIONS DANS CETTE CONNERIE.

GASP

ET DANS CES CAS-LÀ, TU FAIS QUOI ? T'ES PAS TENTÉ DE LEUR CASSER LA GUEULE ?

BOAF, C'EST DES CONNARDS. ÇA M'INTÉRESSE PAS.

JE PRÉFÈRE PENSER À AUTRE CHOSE.

À l'hôtel, Gérard fonce aux cuisines pour prendre des bouteilles d'eau pour la nuit.

GRRR DONNE-M'EN DEUX AUTRES.

J'VAIS LES MONTER MOI-MÊME.

CES VOLEURS, HIER, ILS M'ONT PRIS DEUX EUROS EN PLUS PAR BOUTEILLE POUR ME LES PORTER JUSQUE DANS LA CHAMBRE.

GRRR

EST-CE QUE JE NE SUIS PAS UN VOLEUR, MOI AUSSI ?

UN VOLEUR D'IMAGE.

* J'ai rêvé que RONALDO (le footballeur) me demandait de l'aider à s'incruster dans une fête chez DEPARDIEU. Mais GÉRARD ne veut pas en entendre parler et je me retrouve à devoir expliquer ça à RONALDO... (rêve débile mais authentique).

...ET L'AUTRE CRÂNE D'OEUF QUI M'A TIRÉ DU LIT, LÀ, CE MATIN ! IL A TOQUÉ À MA PORTE, J'ÉTAIS EN TRAIN DE REPENSER À MON RÊVE...

SNIRFL...

l'autre crâne d'œuf c'est lui, le premier assistant.

J'ÉTAIS À CANNES, JE FUYAIS LES PHOTOGRAPHES...

IL Y AVAIT CAROLE BOUQUET QUI ÉTAIT LÀ AUSSI...

J'ÉTAIS OCCUPÉ À REMPLIR DES BOUTEILLES VIDES AVEC DE L'ALCOOL...

CLIC CLIC CLIC

COMME LES BOUTEILLES DE COGNAC DE LA SCÈNE D'HIER DANS LA BAIGNOIRE.

...ET ALORS IL Y AVAIT TOUT UN TAS DE PHOTOGRAPHES ET DE JOURNALISTES QUI ÉTAIENT LÀ ET QUI ME POURSUIVAIENT. ET MOI, JE FUYAIS.

J'ÉTAIS DANS DES RUELLES DANS LES HAUTS DE CANNES... C'ÉTAIT LE JOUR.

IL Y AVAIT DE LA BRUME, COMME ICI...

Y'AVAIT PERSONNE DANS LES RUES. JE RENTRAIS DANS LES MAISONS ET TOUTES LES MAISONS ÉTAIENT VIDES.

MAIS JE SAVAIS QU'IL Y AVAIT DES GENS QUI SE CACHAIENT ...

IL Y AVAIT DES MIROIRS AUSSI.

ET J'ÉTAIS LÀ, J'EFFAÇAIS LES TRACES QUI POUVAIENT INDIQUER LA PRÉSENCE DE DEPARDIEU...

TOUT ÉTAIT DANS L'APPARENCE ET DANS L'ÊTRE ET LE PARAÎTRE...

C'EST INCROYABLE ! C'EST COMME DANS LE FILM !

MAIS OUI, MAIS JE TE L'AI DIT : TOUT SE FAIT PENDANT LA NUIT CHEZ MOI...

dans LE DIVAN DE STALINE, le Petit Père des PEUPLES est hanté par des rêves. Sa maîtresse lui parle de la psychanalyse et des thèses du "charlatan viennois".

Dans la pièce voisine, l'équipe DÉCO a installé un divan semblable à celui de STALINE dans le livre...

J'AI FAIT 30 ANS D'ANALYSE.

AH OUAIS ?

AVEC DES SÉANCES QUOTIDIENNES.

TOUT CETTE HISTOIRE COMMENCE À PRENDRE UNE TOURNURE VACHEMENT FREUDIENNE.

ET COMMENT TU FAISAIS POUR LE VOIR TOUS LES JOURS ?

JE LUI TÉLÉPHONAIS.

... qui lui-même est une réplique du divan de FREUD à LONDRES.

...ET T'AS ARRÊTÉ ?

OUI, QUAND MON PSYCHANALYSTE EST MORT.

Il y a même un exemplaire de « L'INTER-PRÉTATION DES RÊVES ».

ÉDITION ORIGINALE, EN PLUS.

DIE TRAUMDEUTUNG von Prof. Dr SIGM. FREUD

En attendant que l'équipe termine de préparer la scène du divan, GÉRARD répond à quelques coups de fil...

ALLÔ ?

BIN NON, JE SUIS PAS LÀ, PENSES-TU ! POURQUOI ?

AH NON, NON, JE VAIS PAS À LA CINÉMATHÈQUE, JE SUIS AU PORTUGAL LÀ...

AVEC FANNY.

l'assistante costumière.

OH NON, JE VAIS PAS À LA CINÉMATHÈQUE AVEC CE RAT DE ████████ ET DE...

C'EST DES CONNARDS !

GÉRARD fait l'objet d'une prestigieuse rétrospective à la cinémathèque de PARIS.

Le truc n'importe acteur re▯

OH, JE SUIS À BUSSACO, DANS UN NUAGE.

ON EST DANS UNE ESPÈCE DE CHÂTEAU À LA CON ET ON TOURNE LÀ.

STALINE.

VOILÀ.

OH NON, NON, J'Y VAIS PAS, PENSES-TU !

████████, JE L'AI ENVOYÉ CHIER.

"VOUS AVEZ DES TITRES DE PRÉSIDENTS DE LA CINÉMATHÈQUE ET VOUS VOUS PRENEZ AU SÉRIEUX, BANDE DE CONS !!"

OH JE LES AI INSULTÉS, JE TE DIS PAS !

BON, ON VA POUVOIR Y ALLER...

GÉRARD lâche son téléphone 5 minutes pour donner sa réplique...

TU L'AS VU, TON PEINTRE ?

Et dès la fin de la prise, la cinémathèque appelle GÉRARD pour insister. GÉRARD conclut la conversation avec sa citation fétiche.

OUI, JE NE SAIS RIEN DE MOI À L'AVANCE COMME DIRAIT L'AUTRE.

OUI, VOILÀ. AU REVOIR, SERGE.

GÉRARD a troqué ses bottes pour les chaussons.

TU VAS PAS ALLER À LA CINÉMATHÈQUE POUR L'INAUGURATION ?

NON.

STALINE A TOMBÉ LA MOUSTACHE.

QU'EST-CE QUE TU VEUX QUE J'AILLE FOUTRE LÀ-BAS ?

EH BIN, MOI J'IRAI.

POUR QUOI FAIRE ?

POUR VOIR TES FILMS.

Y'EN A PLEIN QUE JE N'AI PAS VU. "RÊVE DE SINGE" PAR EXEMPLE.

"RÊVE DE SINGE"* ? TU L'AS PAS VU ?

NON.

* "Rêve de Singe" de Marco FERRERI (1978).

Gérard DEPARDIEU   Marcello MASTROIANNI

RÊVE DE SINGE

un film de Marco FERRERI

AH, C'ÉTAIT AUTRE CHOSE.

C'ÉTAIT UNE AUTRE FAÇON DE FAIRE DU CINÉMA.

C'EST UN MÉTIER QUI REND CON. ÇA TU PEUX LE DIRE DANS TON MACHIN.

OUI OUI, JE VAIS LE FAIRE.

DE FERRERI IL Y A AUSSI "LA DERNIÈRE FEMME" DANS LEQUEL JE ME COUPAIS LA BITE AVEC UN COUTEAU ÉLECTRIQUE...

HAHA !!

il fait le geste.

"LA DERNIÈRE FEMME" de Marco FERRERI (1976).

101

Fanny ARDANT nous rejoint pour déjeuner avec nous dans la grande salle du restaurant.

JE ME RAPPELLE CE FILM QU'ON AVAIT TOURNÉ AU PORTUGAL. TU JOUAIS UN CURÉ...

Y'AVAIT UNE DAME QU'ON AVAIT PRISE DANS LA RUE POUR LA SCÈNE. JE LUI AVAIS DIT : "IL FAUT RÉSISTER À GÉRARD. NE VOUS LAISSEZ PAS FAIRE PAR LUI."

MOUI.

TU TE RAPPELLES COMMENT ELLE TIRAIT LES DRAPS ? J'AI CRU QUE T'ALLAIS VOLTIGER...

BON, ÇA VIENT ?

pour une raison mystérieuse GÉRARD en a après ce serveur.

QU'EST-CE QUE TU VEUX ?!

D...DO YOU WANT TO ORDER, SENHOR ?

MMM MM

NAN, J'AI DÉJÀ DEMANDÉ.

JE VEUX QU'ON ME DONNE UNE SOUPE DE POISSON, MAIS GRANDE.

C'EST PAS DES PETITES TASSES COMME ÇA ET QUI COÛTENT JE SAIS PAS COMBIEN QUE JE VEUX !

OK OK

C'EST HONTEUX. JE SUIS SÛR QUE T'AS HONTE...

MAIS ILS Y PEUVENT RIEN, LES PAUVRES. ILS FONT LE SERVICE...

NAAAN !!

J'AI HORREUR DES GENS QUI VOLENT. ET ÇA, C'EST DES VOLEURS ! GRRR...

le pauvre ne parle pas français mais GÉRARD s'en fout.

Tandis que FANNY retourne sur le plateau, j'essaye de parler à GÉRARD du choc que j'ai éprouvé en voyant pour la première fois LA FEMME D'À CÔTÉ.

OUI, ELLE EST MIGNONNE, FANNY.

SLURP

a eu sa soupière de potage de poisson.

Mais GÉRARD préfère parler d'autre chose.

JE NE ME RAPPELLE... NI DES DOULEURS NI DES CHAGRINS.

JE SAIS QUE J'EN AI EU MAIS JE NE ME RAPPELLE PAS LE DEGRÉ...

PAN !

JE SUIS COMPLÈTEMENT DÉTACHÉ...

C'EST POUR ÇA, ÇA PEUT PARAÎTRE CYNIQUE...

OUI, C'EST UNE PROTECTION.

NON. C'EST PAS UNE PROTECTION.

C'EST QUE...

ÇA NE M'INTÉRESSE PAS.

C'EST POUR ÇA QUE, MÊME CEUX QUI M'ONT FAIT DU MAL (VERBALEMENT - DES CRITIQUES - OU PHYSIQUEMENT)... J'OUBLIE COMPLÈTEMENT.

ET JE PEUX LES VOIR ET JE NE ME RAPPELLE PAS DU TOUT CE QU'ILS ONT FAIT...

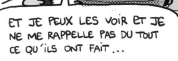

ET JE PEUX ÊTRE TRÈS SYMPA AVEC EUX. ET ÇA C'EST DÉSTABILISANT. UN SOURIRE... C'EST TERRIBLE.

OUI, C'EST UNE ARME.

NON.

POURQUOI UNE ARME ? POURQUOI TU ANALYSES TOUT SOUS FORME DE POSTURE ?

EUH...

IL N'Y A PAS DE POSTURE.

OK.

C'EST MARRANT QU'IL FAILLE QUE TU METTES DE LA PSYCHOLOGIE SUR UN COMPORTEMENT.

C'EST COMME ÇA, C'EST PAS UNE ARME.

JE LE FAIS PAS EXPRÈS.

D'ACCORD.

GRMBLLL...

MAIS QUAND Y'A DES GENS QUE JE SENS COMME ÇA, JE LEUR DIS.

JE LEUR DIS : "JE PRÉFÈRE TE DIRE LES CHOSES AVANT PARCE QUE JE NE DIS JAMAIS DU MAL PAR-DERRIÈRE."

J'AI DEMANDÉ POUR LA CÔTE DE PORC. C'EST BON.

OUIII...

ET VOICI LE FROMAGE.

OUIII

← elle, GÉRARD l'aime beaucoup.

MERCI CHÉRIE. C'EST BIEN.

GRMBLLLL...

ELLE EST BIEN, ELLE.

SLURP.

J'AI PLEIN DE DÉFAUTS.

ET JE LES CONNAIS TOUS.

(ENFIN TOUS)...

IL Y A DES DÉFAUTS AVEC LESQUELS JE SUIS PLUS INDULGENT.

IL Y EN A D'AUTRES DANS LESQUELS JE ME VAUTRE.

MIOM

JE M'Y VAUTRE AVEC PLAISIR.

IL Y EN A D'AUTRES QUE JE NE CONNAIS PAS TOUT À FAIT ENCORE...

ET QUE JE DÉVELOPPE.

SLURP

JE PRÉFÈRE CONNAÎTRE MES DÉFAUTS QUE MES QUALITÉS.

MES QUALITÉS, COMME JE NE M'AIME PAS... J'EN AI RIEN À FOUTRE.

MAIS LES DÉFAUTS, OUI.

J'ÉTUDIE MES DÉFAUTS.

J'ESSAYE PAS DE LES AMÉLIORER, J'ESSAYE PAS DE CORRIGER PARCE QUE J'EN AI RIEN À FOUTRE.

GRRR... IL EST CHAUD TON PAIN ?

SIM SENHOR.

ÇA COÛTE COMBIEN ?

3€ SENHOR.

GRRR... JE SUIS SÛR QU'IL EST PAS D'AUJOURD'HUI.

SIM SIM !! É DE HOJE !

OUI, IL DIT QU'IL EST FRAIS.

NAN!

JE SAIS RECONNAÎTRE LES VOLEURS ! GRMBLLL...

COMME JE SUIS TRÈS ATTENTIF AUX AUTRES, JE SAIS QUAND JE PEUX VEXER...

JE PEUX M'EN EXCUSER, MAIS QUAND J'EN AI ENVIE.

JE PEUX CONTINUER DE LES VEXER JUSQU'À CE QUE JE VOIE QU'ILS SOUFFRENT. ET LÀ, JE LUI DIRAI : " JE TE DEMANDE PARDON, JE LE FERAI PLUS."

MAIS T'AS TELLEMENT DE GENS QUI SONT TELLEMENT CONTENTS D'EUX...

AH OUI, ÇA C'EST VRAI.

...QUI PENSENT QUE RIEN NE PEUT LEUR ARRIVER. QUI, DU MATIN AU SOIR, PENSENT TOUJOURS AU MIEUX D'EUX-MÊMES...

ET CERTAINS SOIRS, QUAND JE ME RETROUVE SEUL JE ME SURPRENDS À PENSER À MOI.

ET JE ME DIS : MAIS... ÇA SERT À QUOI ?

ÇA SERT À RIEN ! QU'EST-CE QUE TU VEUX QUE JE FASSE ? RIEN !

JE PEUX PAS FAIRE AUTREMENT.

JE SUIS COMME ÇA.

LE TEMPS PASSE. LES TEMPS CHANGENT...

ET PLUS JE PENSE AU TEMPS DE MES VINGT ANS ET PLUS JE ME DIS :

"POURVU QU'ON SOIT PLUS TARD".

J'AI TOUJOURS VOULU ÊTRE PLUS TARD QUE CE QUE JE VIVAIS.

JE TROUVE QUE C'EST MIEUX.

ÇA T'EMPÊCHE DE VIVRE LE PRÉSENT COMME UN ABRUTI.

AH !!

PLUS J'AVANCE DANS LE TEMPS ET MOINS J'AI LA MÉMOIRE DES TEMPS RÉCENTS.

ET LES TEMPS DE TON ENFANCE ?

TIENS. ÇA C'EST POUR TOI. PAS POUR LES AUTRES. POUR TOI.

parle avec une grande douceur.

EUH... MERCI.

J'AI PAS DE MÉMOIRE.

DÈS QUE J'AI DES MÉMOIRES VISUELLES DE CHOSES, JE ME DIS : "OH LÀ LÀ, QU'EST-CE QUE J'AIMERAIS PAS REVENIR À ÇA !"

JE N'AI PAS LE SOUVENIR D'AVOIR ÉTÉ FOLLEMENT HEUREUX.

Gérard Depardieu

PARCE QUE J'AI TOUJOURS ÉTÉ PLUS OU MOINS LUCIDE.

OU MÊME, PAS LUCIDE DU TOUT.

À PART LA MUSIQUE, IL Y A TRÈS PEU DE CHOSES QUI PEUVENT ME... TRANSPORTER.

LES TABLEAUX?. BOAF, PEU. LES PHOTOS? CERTAINEMENT PAS... LE CINÉMA? ALORS CERTAINEMENT PAS!

ET LA BD?

↑ la crèche avec le petit Jésus.

LES SEULES CHOSES QUI ME TRANSPORTENT, CE SONT LA MUSIQUE, LA MÉLODIE, LA NATURE...

OUI, NIETZSCHE DIT ÇA DANS "LA NAISSANCE DE LA TRAGÉDIE".

LA MUSIQUE EST SUPÉRIEURE À LA PEINTURE CAR LA MUSIQUE PEUT PROVOQUER DES IMAGES TANDIS QUE LA PEINTURE NE POURRA JAMAIS SUSCITER DE LA MUSIQU...

NAAAN!!

MAIS C'EST PAS ÇA!!

JE ME FOUS DES IMAGES!

→ étale sa science

OUI, OUI, ENFIN, DES IMAGES, DES ÉMOTIONS, DU MOINS...

C'EST LE CONTRAIRE! LES IMAGES M'EMMERDENT!!

SURTOUT PAS LES IMAGES!! C'EST L'ABSTRACTION, QU'IL FAUT!

Y'A RIEN DE PLUS LAID QUE SOI-MÊME!!

Avril 2016

MOSCOU

GÉRARD m'a appelé la semaine passée pour me proposer de l'accompagner à MOSCOU avec ARNAUD FRILLEY. Sans hésiter j'ai réservé une place dans le même TUPOLEV.

Au téléphone, ARNAUD m'a parlé d'une rencontre avec le directeur du Centre du Cinéma russe.

ÇA VA ÊTRE PLUS MARRANT QUE LE HOLLANDE, TA BD... PARCE QUE L'ÉLYSÉE C'ÉTAIT BIEN MAIS C'ÉTAIT PAS MARRANT...

Jean-Michel JARRE qui vient préparer une tournée en Russie (il a voyagé dans le même avion que nous).

Il était question d'un grand projet de dessin animé sur GÉRARD DEPARDIEU.

DIS ARNAUD, ON LES RENCONTRE QUAND, LES GENS DU CENTRE DU CINÉMA RUSSE ?

TU VEUX DIRE LE GOSFILMOFOND ?

OUI

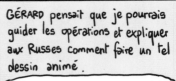

GÉRARD pensait que je pourrais guider les opérations et expliquer aux Russes comment faire un tel dessin animé.

ON Y VA DEMAIN. TU VAS VOIR, C'EST ASSEZ INCROYABLE COMME ENDROIT, TRÈS POST-SOVIÉTIQUE.

GÉNIAL HAHA !

VIP ЗАЛ LOUNGE

YULIA travai avec AR FRILLEY

Mais finalement...

PAR CONTRE, LE DESSIN ANIMÉ SUR GÉRARD, JE ME SUIS RENSEIGNÉ, C'EST PAS POSSIBLE.

AH BON ?! POURQUOI ?

hôtesse d'accueil.

OH PUTAIN, L'AVION ÇA ME FAIT GONFLER DE PARTOUT...

ON NE TROUVERA JAMAIS UN DISTRIBUTEUR EN FRANCE. GÉRARD A UNE IMAGE TROP SULFUREUSE.

OK.

HI HI

COMMENT JE VAIS FAIRE SI JE PEUX PLUS PRENDRE L'AVION ?...

ALLÔ ! OUI, COMMENT TU VAS ?

★аэроэкспресс

À peine arrivé, GÉRARD active ses réseaux.

...OUI, DANS L'AVION, J'AI VOYAGÉ À CÔTÉ DE LA FEMME DE L'AMBASSADEUR DE FRANCE... ET JE LUI AI DIT CE QUE JE PENSAIS DE SON MARI...

ТЕРМИНАЛ

NON, NON. TRÈS GENTIMENT.

...JE LUI AI DIT: QUAND MÊME, IL FAUT QU'IL FASSE ATTENTION.

LE BRUIT COURT QUE, DANS LES RÉUNIONS, IL DIT DES MAUVAISES CHOSES SUR LE PAYS DANS LEQUEL IL FAIT SA PROFESSION D'AMBASSADEUR...

ET ÇA COMMENCE À SE SAVOIR...

QU'IL SE MÉFIE QUAND MÊME DE SES COLLÈGUES FRANÇAIS QUI NE SONT PAS TOUS DANS LES PETITS PAPIERS DU MAÎTRE FRANÇOIS, COMME DIRAIT CYRANO DE BERGERAC.

TOUT SE SAIT.

QU'IL ARRÊTE DE DIRE...

VOILÀ, IL PEUT PENSER CERTAINES CHOSES, MAIS C'EST PAS LA PEINE QU'IL LES DISE.

IL A BEAU ÊTRE UN AMI DE HOLLANDE, IL NE PEUT PAS CHIER SUR LE PRÉSIDENT COMME ÇA.

SINON, C'EST DEUX BAFFES DANS LA GUEULE.

le KREMLIN.

endroit précis où l'opposant politique BORIS NEMTSOV a été abattu par des tueurs le 27 février 2015.

Quand il se rend à Moscou GÉRARD descend toujours au METROPOL.

GRRRR

TU VIENS SOUVENT MAIS TU NE PARLES PAS RUSSE, EN FAIT...

J'AI PAS BESOIN.

OUI, TOI TU AS TES YEUX.

UN REGARD ET JE SAIS CE QUE LES GENS PENSENT.

BIP

BIP

BIP

BIP

SPASSIBA.

"GÉRARD LE SCANNER". HA HA !

BIP BIP

BIP

le portail sonne mais tout le monde s'en fout.

Dans le hall du METROPOL, on retrouve Jean-Michel JARRE...

TU REPARS QUAND ?

JE RENTRE PAS À PARIS. ON ENCHAÎNE AVEC LE KAZAKHSTAN... ET PEUT-ÊTRE LA TCHÉTCHÉNIE.

AH BON ?

AH BON, LA TCHÉTCHÉNIE ?

OUI.

AH MAIS OUI, C'EST VRAI. TU VAS VOIR TES AMIS.

OUI.

la manageuse de J.-M. JARRE.

JE SUIS CITOYEN DU MONDE, MAINTENANT.

OUI BAH, COMME MOI.

TU SAIS, JE PENSE COMME TOI SUR À PEU PRÈS TOUT.

AH BAH, C'EST BIEN.

HA HA

CLIC

HA HA !

?

114

La suite de GÉRARD se transforme en business lounge où il reçoit des banquiers, des notaires, des conseillers fiscaux...

Arnaud traduit en direct.

...C'EST POUR ÇA QUE JE SUIS TRÈS HEUREUX QUE VOUS SOYEZ VÉRITABLEMENT FISCALISTES. CAR JE NE CONNAIS PAS LA FISCALITÉ...

EN FRANCE, JE N'AI PLUS DE PROBLÈMES CAR JE SUIS EN TRAIN DE VENDRE TOUTES LES AFFAIRES QUE J'AI LÀ-BAS.

les fiscalistes ne mouftent pas.

DA   DA   DA

...CAR LA FRANCE, AVEC LE PRÉSIDENT HOLLANDE, EST DANS UNE TRISTESSE TERRIBLE...

ils ont l'air d'halluciner un peu quand même.

TRISTESSE TERRIBLE, AUSSI TRISTE QUE LE ROUBLE QUI S'EFFONDRE. AUSSI TRISTE QUE LE MONDE, D'AILLEURS...

DA

DA

DA

de l'eau

... DONC J'ÉTAIS FIER DE PAYER MES IMPÔTS À SARANSK... DE PAYER POUR LA RUSSIE.

DA

DA

Ces rendez-vous sont, bien sûr, l'occasion de parler géopolitique.

MAIS CE QUE JE NE SUPPORTE PAS C'EST LA CORRUPTION.

DÈS QUE JE VOIS DE LA CORRUPTION, JE ME BARRE.

DA   DA   DA

?

COMME L'AUTRE FOIS, AU KAZAKHSTAN.

EN UKRAINE, AUSSI C'EST DES VOLEURS. ILS ONT TOUS TOUCHÉ AU CHOCOLAT.*

TOUS !!

HEIN? QUEL CHOCOLAT ?

ET IANOUKOVITCH **!? IANOUKOVITCH A BEAUCOUP VOLÉ, BEAUCOUP !

ET QUAND J'EN PARLE AU PRÉSIDENT *** ET QUE JE LUI DEMANDE POURQUOI IL NE DIT RIEN, IL ME DIT :

"CHAQUE CHOSE EN SON TEMPS."

voix très douce en détachant bien les mots.

HA HA   HU HU   HO HO

* PETRO POROCHENKO, président de l'UKRAINE élu le 25 mai 2015, a fait fortune dans le cacao et la confiserie.

** VIKTOR IANOUKOVITCH, ex-président de l'UKRAINE (2010 - 2014). Il a été destitué par le parlement ukrainien.
le 22 février 2014. *** LE PRÉSIDENT = V. POUTINE, of course !

Parfois, GÉRARD doit signer des papiers.

ELLE DIT QUE TU ES QUELQU'UN QUI PARLE AVEC SON ÂME.

HAAAA

Pour ça il a besoin de son passeport.

TIENS, REGARDE, JE FAIS TRÈS RUSSE, LÀ.

MOUAIF

TU FAIS TRÈS AMÉRICAIN, PLUTÔT.

AMÉRICAIN, RAAAAH...

GÉRARD est très fier de son passeport russe.

DIS-LUI QUE L'AMÉRIQUE, C'EST DE LA MERDE.

CE SONT EUX LES PREMIERS QUI ONT APPUYÉ SUR LE BOUTON DE LA BOMBE.

OUI OUI.

EH BIN, DIS-LUI !

OUI OUI, JE LUI DIS.

SANS PARLER DE LEUR SEXUALITÉ. C'EST LA NON-SEXUALITÉ. PARCE QUE LES HOMMES SE BRANLENT DEVANT DES PORNOS ET PENDANT CE TEMPS LES FEMMES BOIVENT...

il fait le geste.

...

STEEL HEAVY

Les rendez-vous se succèdent.

C'EST UNE DES CINQ PLUS GROSSES ENTREPRISES DU BÂTIMENT ICI EN RUSSIE.

DA.

AH...

le scanner se met en marche.

ILS VEULENT TE PROPOSER DE FAIRE UNE PUBLICITÉ.

DA.

OUI...

lui il ne dit rien. Il accompagne le grand patron.

le grand patron de la boîte.

LEUR IDÉE C'EST DE DIRE : "VENEZ HABITER PRÈS DE CHEZ GÉRARD."

AH.

DA.

HUM !... ET C'EST PRÈS DU CENTRE SON TRUC ?

IL DIT QUE C'EST À 50 MINUTES, 40 MINUTES DU CENTRE DE MOSCOU.

OUI, IL FAUT VOIR... À QUOI ÇA RESSEMBLE CETTE MAISON QU'ILS VEULENT ME DONNER ?

IL NE FAUT PAS QUE CE SOIT UNE PUBLICITÉ MENSONGÈRE.

IL NE FAUT PAS TROMPER LES GENS.

NE ! NE !

JE NE PEUX PAS LEUR MENTIR.

NON NON.

NEEE !

C'EST LA MÊME CHOSE QUE LA CORRUPTION ...

JE VEUX BIEN Y HABITER OU FAIRE DES PHOTOS, MAIS IL FAUT QUE...

QUE CE SOIT RÉEL.

QUE CE SOIT RÉEL, OUI. VOILÀ.

DA DA

DA

C'EST DES PETITS IMMEUBLES MAIS C'EST PAS ENCORE TERMINÉ.

OUI. IL FAUT QUE JE VOIE LE QUARTIER.

MAIS LE VOISINAGE NE ME DÉRANGE PAS.

LE DERNIER ÉTAGE... OU LE PREMIER. AVEC UNE PISCINE, POURQUOI PAS...

DAAA

MAIS SI C'EST RÉEL. IMAGINE QU'UN PAPARAZZI VIENNE ET QUE JE SOIS PAS LÀ. C'EST PAS NORMAL.

Le P-DG de l'entreprise du bâtiment a préparé un "petit événement" sur une péniche en l'honneur de la venue de GÉRARD.

...J'AI RENCONTRÉ UN ARTISTE QUI AVAIT HABITÉ DANS UN APPARTEMENT DE LA PÉRIODE SOVIÉTIQUE ET QUI ÉTAIT TRÈS AGRÉABLE.

DA DA !

Des limousines nous attendent pour nous conduire sur les lieux.

BON, MAIS IL Y AURA DES JOURNALISTES LÀ-BAS ?

NON NON.

même modèle de limousine que celles qu'utilise le MVD (ex-KGB).

IL DIT QU'IL Y EN AURA JUSTE UN OU DEUX.

GRRR... AH BORDEL.

10 minutes plus tard, GÉRARD arrive sur les lieux du "petit événement". Il y a un peu plus que "un ou deux" journalistes.

GRRR... C'EST QUOI CE BORDEL ?

MISSIEU DEPARDIEU !

MISSIEU DEPARDIEU !

MISSIEU DEPARDIEU

DEPARDIEU !

DEPARDIEU !

À l'intérieur de la péniche, le "petit événement" consiste à filmer et photographier GÉRARD sous toutes les coutures...

OH PUTAIN...

stands de dégustation de vin.

... et à lui faire goûter des vins de CRIMÉE (ce qui permet d'en rajouter une couche sur les liens entre RUSSIE et CRIMÉE).

NAN, MAIS JE PEUX PAS BOIRE.

GÉRARD finit par se laisser convaincre. Il fait semblant de boire et joue le jeu.

... ET DE CE VIN DE CETTE BELLE RÉGION QU'EST LA CRIMÉE...

CLAP CLAP CLAP CLAP

Mais au bout de la 5e dégustation GÉRARD commence à s'impatienter.

NAN NAN, ÇA VA MERCI. JE VEUX PAS.

DEPARDI

DIPARDIEU

DEPARDIEU!

NAN NAN !!! ALLEZ J'ME BARRE.

DIPARDIEU!

JE VEUX PLUS FAIRE ÇA.

DIPARDIEU

C'EST DES MALADES ici !!

Pas sûr que la pub << VENEZ HABITER PRÈS DE CHEZ GÉRARD >> ait une chance de voir le jour...

GRRR!

Tout le monde se retrouve dans le hall.

...ET MAINTENANT, NIKOLAÏ VA TE MONTRER DES ARCHIVES TRÈS RARES CONSERVÉES ICI AU GOSFILMOFOND.

HAHA

le drapeau français en l'honneur de GÉRARD

les jeunes filles qui sont là ont pour la plupart perdu un ou plusieurs parents dans la guerre que la Russie a menée contre la TCHÉTCHÉNIE.

СЛОБОДАН МИЛОШЕВИЧ «

Sur ce panneau un extrait d'un discours de Slobodan MILOŠEVIĆ qui dit tout le mal qu'il pense de l'OTAN et des Américains qui ont bombardé BELGRADE en 1999...

Les archives très rares en question consistent en une série de dessins animés de la période soviétique. Après la projection, GÉRARD prend la parole.

IL FAUT REGARDER LES GRANDS CLASSIQUES : EISENSTEIN, MIKHALKOV, TARKOVSKY, LOUNGUINE...

IL FAUT AVOIR LA MÉMOIRE DU CINÉMA DU MONDE...

QUE L'UNION SOVIÉTIQUE A SU GARDER.

IL Y A DE TRÈS BONS FILMS AMÉRICAINS AUSSI... MAIS IL FAUT GARDER LA CULTURE NATIONALE...

Ensuite, les cadettes de l'armée montent sur scène et exécutent une série de danses puis, dans l'idée de faire plaisir à GÉRARD, on projette un montage avec tous les rôles importants qu'il a interprétés au long de sa carrière.

CYRANO DE BERGERAC.

MARTIN GUERRE.

l'abbé DONISSAN dans "SOUS LE SOLEIL DE SATAN."

...MPANA dans "LA CHÈVRE."

caméra le ...ne non-stop.

Le DERNIER MÉTRO.

DANTON.

SE REGARDER EN FACE PENDANT 10 MINUTES. LE CAUCHEMAR POUR GÉRARD...

RASPOUTINE.

Christophe COLOMB.

La cérémonie continue avec une série (interminable) de danses exécutées par les cadettes de l'armée.

danses locales mais aussi irlandaises, latines, french-cancan, tango, etc. →

CLAC CLAC CLAC CLAC CLAC CLAC CLAC CLAC

elles changent de costume à chaque scène.

Puis une série de déclarations enflammées...

MONSIEUR DEPARDIEU, VEUILLEZ ACCEPTER UN MOT DE GRATITUDE POUR AVOIR TROUVÉ LE TEMPS DE NOUS RENCONTRER AVEC LES JEUNES FILLES DU PENSIONNAT.

LA POSSIBILITÉ DE VOIR LA LÉGENDE DU CINÉMA MONDIAL EST POUR NOUS VRAIMENT UN BEAU CADEAU.

CETTE RENCONTRE RESTERA À JAMAIS DANS NOS CŒURS.

NOUS SOMMES PROFONDÉMENT TOUCHÉES PAR VOTRE ATTENTION ET VOTRE BIENVEILLANCE.

ET NOUS ADMIRONS VOTRE TALENT ET VOTRE CHARME.

NOUS VOUS SOUHAITONS UNE BONNE SANTÉ, DU BONHEUR, DE LA PROSPÉRITÉ ET D'ÊTRE TOUJOURS DE BONNE HUMEUR.

← à quoi peut-il bien penser ?

jeune fille de 16 ans. Elle ne parle pas français et a tout appris par cœur.

Tout le monde est très ému.

CE QUI S'EST PASSÉ AUJOURD'HUI, JE VAIS EN PARLER À POUTINE.

PARCE QUE ÇA L'INTÉRESSE BEAUCOUP CE QUI CONCERNE LA JEUNESSE.

DA DA

les jeunes filles ont réalisé des aquarelles et des petits tableaux qu'elles ont offerts à GÉRARD. Il se prête au jeu de l'interview.

Nikolaï aime beaucoup son pays.

APRÈS STALINE, IL N'Y A PLUS EU DE LEADER.

C'EST SEULEMENT MAINTENANT, AVEC POUTINE QU'ON A RETROUVÉ, "UN TSAR", POURRAIT-ON DIRE ...

IL RESPECTE TOUS LES PRINCIPES DE LA DÉMOCRATIE. IL FAIT TOUT POUR NE PAS SORTIR DE CETTE DÉMOCRATIE.

ET À NOUVEAU IL A CRÉÉ UN ÉTAT FORT.

c'est m 4ᵉ vodk et le r vien peine comme

LA RUSSIE EST LE SEUL ÉTAT AUJOURD'HUI CAPABLE DE S'OPPOSER AUX ÉTATS-UNIS.

POURQUOI EST-CE QUE LES ÉTATS-UNIS SEMBLENT AUJOURD'HUI BAISSER UN PEU LA GARDE ?

PARCE QUE LE SEUL PAYS QUI PEUT HUMILIER LES ÉTATS-UNIS, C'EST LA RUSSIE...

OUI ...

...MAIS LA RUSSIE NE LE FERA PAS. PARCE QUE LA RUSSIE N'A JAMAIS ATTAQUÉ LES AUTRES.

ELLE SE DÉFEND TOUJOURS. ELLE S'EST DÉFENDUE DES ANGLAIS... DES ALLEMANDS... DES FRANÇAIS...

DES TURCS ! LA CRIMÉE ÉTAIT TURQUE.

DA DA ...

derrière nous, une carte géante du continent russe.

GÉRARD aussi prend la parole pour porter un toast ...

...STALINE ÉTAIT TRÈS INSTRUIT. IL A ÉCRIT BEAUCOUP DE LIVRES. ENVOYÉ PENDANT 15 ANS EN SIBÉRIE PAR L'OKRANA.

DA

...STALINE ÉTAIT UN GRAND CHEF... ET UN GRAND "MONSTRE" ENTRE GUILLEMETS. ENFIN, NAN, MONSTRE C'EST PAS ÇA...

?!

MAIS C'EST LE POUVOIR QUI L'A RENDU COMME ÇA, ET IL N'Y A PAS QUE LUI... JULES CÉSAR... ATTILA... ET EUH... JE...

BON, SANTÉ !

ZA VACHE * ZDOROVIE !!!

Sur la route du retour, GÉRARD est silencieux.

* SANTÉ !!!

125

GÉRARD appelle POUTINE "LE PATRON".

TU PENSES QUE TU VAS VOIR LE PATRON ?

NON.

AH BON.

Jean-Michel JARRE boit un café à la table voisine.

Il semble sincèrement admiratif quand il en parle.

JE VAIS LUI TÉLÉPHONER.

AH !!

Jean-Michel JARRE me fait coucou.

PAS AUJOURD'HUI. LE DIMANCHE, IL VA À LA CHASSE.

FAUT VOIR COMMENT IL PARLE AUX MECS QUI SONT SOUS SES ORDRES. IL VOIT TOUT.

OUI OUI, SALUT.

Jean-Michel JARRE fait coucou à GÉRARD.

C'EST LÀ QUE TU VOIS QUE C'EST UN GRAND HOMME...

OUAIS...

IL COMMANDE AUX MECS AVEC INTELLIGENCE.

la femme à la table à côté a reconnu GÉRARD.

J'AIMERAIS BIEN ÊTRE LÀ QUAND TU VAS L'APPELER.

AH.

OUAIS, SI TU VEUX.

la femme finit par se lever.

?

THIS IS FOR YOU.

AH.

THANK YOU ! THANK YOU !

HOTEL METROPOL MOSCOW

Good Morning ! Nous avons grandi sur vos films ! Vous êtes un grand acteur ! Merci de ce que vous avez !! OKSANA

À la fin du petit déjeuner, GÉRARD est rejoint par un monsieur tchétchène, champion de boxe et "ami" de GÉRARD. Il l'invite à venir assister à un match de boxe à GROZNY le week-end prochain.

... IL TE DEMANDE QUAND EST-CE QUE TU VIENS PROFITER DE TON APPARTEMENT DE GROZNY ?

OUAIS.

LE MINISTRE DES TRANSPORTS EST UN DE SES COUSINS. SI ON VEUT, IL PEUT NOUS FAIRE VOYAGER À BORD DE SON AVION.

BON.

il parle vite et beaucoup.

YES, NO PROBLEM.

NO PROBLEM.

NO PROBLEM.

OUI OUI

Youri.

Yulia.

deux téléphone.

air très doux et nerveux en même temps.

les serveurs vident la salle.

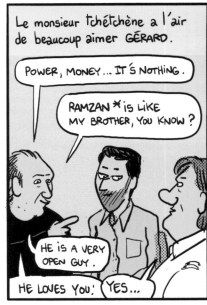

Le monsieur tchétchène a l'air de beaucoup aimer GÉRARD.

POWER, MONEY... IT'S NOTHING.

RAMZAN * IS LIKE MY BROTHER, YOU KNOW ?

HE IS A VERY OPEN GUY.

HE LOVES YOU !

YES...

Il insiste avec cette histoire de match de boxe.

YOU ARE A GOOD MAN.

YES YES ...

YOUR HEART IS GOLD.

YES

Soudain, il se tourne vers moi.

YOU CAN COME TOO. IF YOU WANT. YOU'RE MY GUESTS.

OH YES ?

THANK YOU.

...MAIS C'EST-À-DIRE QUE CE WEEK-END, J'AVAIS DÉJÀ PREVU QUELQUE CHOSE...

* Ramzan KADYROV, chef de la République de TCHÉTCHÉNIE depuis 2007.

Le monsieur tchétchène explique que dans son pays certaines personnes n'aiment pas POUTINE alors que pourtant il a apporté la paix.

EVERYBODY WANTS PEACE, GOOD LIFE, SHOPS, CAFÉS... ETC.

YOU KNOW...

D'UN CÔTÉ JE SUIS CURIEUX DE VOIR COMMENT C'EST, LA TCHÉTCHÉNIE...

Il nous raconte l'histoire de sa maman qui a été victime d'un kidnapping il y a quelques mois.

MY MOM IS A WONDERFUL WOMAN, YOU KNOW...

OUI

D'UN AUTRE...

Il était à LONDRES à l'époque, il a passé quelques coups de fil et des amis à lui sont allés tuer les ravisseurs.

...LIKE ALL THE MOMS, PROBABLY...

YES

HA HA

...JE NE SUIS PAS SÛR QUE CE SOIT UNE SUPER IDÉE.

Selon l'usage, si des ennemis s'en prennent à quelqu'un de ton clan, il convient de tuer 3 hommes en représailles (1 homme si la victime est une femme)...

WE ARE UNTOUCHABLES, YOU KNOW ? ESPECIALLY MY FAMILY...

Mais quand c'est ta maman qui est la victime, il convient de tuer le chef du clan ennemi aussi pour faire bonne mesure.

MY DAD WAS THE CRIMINAL NUMBER ONE IN USSR.

HE WAS A GAMBLER.

A VERY GOOD MAN

À la fin de l'entrevue, le monsieur tchétchène nous dit au revoir et répète qu'il compte sur notre venue à GROZNY.

THANK YOU THANK YOU.

Les Tchétchènes ne plaisantent pas avec l'hospitalité.

TU VOIS...

GÉRARD a affirmé par la suite, monsieur tchétchène lui a montré pistolet qu'il a toujours sur lui.

SI TU DIS UN MOT !

UN MOT !!

même voix que quand il fait le méchant dans les films.

JE PASSE UN COUP DE FIL...

JE PEUX FAIRE TUER TES COPAINS.

HA HA

HAHA !!

SNIRFLLL

HA HA...

129

Peu après, en périphérie de Moscou...

...C'ÉTAIT LE 1ᵉʳ JANVIER.
J'ÉTAIS AVEC GÉRARD, ON DÉJEUNAIT
DANS UN RESTAURANT CHINOIS
PRÈS D'ÉTOILE.

ILS SE SONT APPELÉS AVEC HOLLANDE.
GÉRARD A FAIT LE NUMÉRO DE L'ÉLYSÉE
ET IL A DIT AU STANDARDISTE :
« PASSE-MOI LE TÔLIER ! »
HOLLANDE A DÉCROCHÉ ET GÉRARD
A MIS LE TÉLÉPHONE SUR LA TABLE
EN MODE HAUT-PARLEUR.

КРУГЛОСУТО www.autoshinka.ru
ВЫЕЗДНОЙ
ШИНОМ UT

GÉRARD est dans la
voiture derrière.

Dans la voiture de devant,
ARNAUD me raconte sa version du coup de fil
entre GÉRARD et François HOLLANDE suite à l'affaire AYRAULT/MINABLE.

...ET GÉRARD LUI DISAIT
"OUAIS, LA FRANCE C'EST
QUE DE LA MERDE ..."

ET HOLLANDE :
"OUI... C'EST
PAS FACILE..."

OUAIS
...

ENSUITE, GÉRARD LUI A DIT :

"QUAND MÊME VOUS
DÉCONNEZ AVEC LA
RUSSIE !"

ET HOLLANDE ?

IL ÉTAIT EXTRÊMEMENT
PRUDENT PARCE QUE C'ÉTAIT
AU TÉLÉPHONE. HOLLANDE
N'ÉTAIT PAS DU TOUT DANS
LA PROVOC'.

C'ÉTAIT TRÈS NEUTRE, EN FAIT.
ÇA A DURÉ 1 MINUTE 30.

on arriv
dans une s
de banlieu
chic com
de datcha
derrière
palissade

130

GÉRARD A DIT À HOLLANDE: "MOI JE COMPRENDS PAS QU'ON M'INSULTE, J'AI PAYÉ 165 MILLIONS D'IMPÔTS..."

ET HOLLANDE A RÉPONDU:

"OUI... C'EST PAS TRÈS ÉLÉGANT D'AVOIR DIT ÇA, IL N'A PAS VOULU VOUS BLESSER NI VOUS ATTAQUER DIRECTEMENT..."

IL DÉFENDAIT QUAND MÊME AYRAULT.

MAIS JE SUIS D'ACCORD AVEC TOI, LÀ-DESSUS IL A FAIT UNE ERREUR DE COM', HOLLANDE...

IL AURAIT DÛ DIRE À GÉRARD, "PASSE ME VOIR C'EST VRAI QUE C'EST PAS TERRIBLE. ON VA SE VOIR AVEC AYRAULT ET ON VA DISCUTER..."

OUAIS...

POUR MOI CETTE HISTOIRE A DES CONSÉQUENCES QUI VONT BIEN AU-DELÀ DE LA SPHÈRE PEOPLE. C'EST POLITIQUE.

OUI, GÉRARD C'EST UN MEC QUI EST QUAND MÊME AIMÉ PAR LE PEUPLE...

un peu exalté.

MAIS ÉVIDEMMENT !! IL Y A UNE PORTÉE SYMBOLIQUE !!!

OUI, ET ÇA IL EN EST TRÈS CONSCIENT.

TU AS VU LES FILLES, HIER.. LA FERVEUR QU'IL DÉCLENCHE...

BIEN SÛR.

Vrai tank devant un monument.

...ET C'EST POUR ÇA QU'IL VOIT TOUS LES PRÉSIDENTS... IL A UNE PUISSANCE. MÊME SI C'EST UNE ESPÈCE DE FOU FURIEUX, C'EST BON POUR LEUR IMAGE.

OUI OUI, JE LUI AI DIT, À HOLLANDE...

JE LUI AI DIT :" AVEC DEPARDIEU, VOUS ÊTES LES DEUX FRANÇAIS LES PLUS CONNUS DANS LE MONDE. SI VOUS LUI TOURNEZ LE DOS, ÇA ENVOIE UN TRÈS MAUVAIS SIGNAL... "

ça n'a l'air de rien mais c'est une banlieue ultra-chic.

GÉRARD, IL EST BEAUCOUP PLUS CONNU QUE HOLLANDE. C'EST PAS COMPARABLE.

OUI, MAIS LÀ J'ÉTAIS DEVANT HOLLANDE, J'ALLAIS PAS LUI DIRE ÇA...

TIENS, VOILÀ, ON ARRIVE CHEZ SERGUEÏ. TU VAS VOIR CE QUE C'EST QUE L'HOSPITALITÉ RUSSE.

?

SERGUEÏ est un ancien haut gradé de l'armée où il officiait comme médecin à bord des sous-marins nucléaires.

DA, DA, COMMENT VAS-TU ?

Jérôme est un Français qui travaille à l'ambassade de France à Moscou.

SERGUEÏ est un grand ami de GÉRARD (un de plus) me dit-on.

VENEZ, VENEZ ...

SOYEZ LES BIENVENUS.

Véronika, la femme de SERGUEÏ est très accueillante. elle parle français.

Il est aujourd'hui à la tête d'une importante compagnie d'assurance.

LÀ C'EST LA SALLE DE SPORT!

CH CH CH CH

PAF!

PAF!

PAF!

BIEEEN

C'EST L'ENTRAÎNEMENT SHAOLIN, ÇA.

VOILÀ, SLAVA LE FILS DE SERGUEÏ.

ET SON BEAU-FILS.

le coach sportif

HA HA

A A A ..

ils ont à peine 17 ans.

VOUS ÊTES PRÊTS POUR LE SAUNA ?

OUIIIII...

LE SAUNA ?

la datcha est super douillette, on dirait une maison de hobbit.

VENEZ, VOUS ALLEZ MANGER UN PEU D'ABORD.

VOUS VOULEZ UN PEU DE VODKA AU RAIFORT ?

TRÈS FORT MAIS TRÈS BON.

NON NON, MERCI.

ON NE BOIT PAS DE VODKA.

HA HA!

AH OUI, MOI JE VEUX BIEN !!

?!

C'EST BON, ÇA LA VODKA AU RAIFORT !

WHAT ?

VOILÀÀ..

MAMMA MIA...

Hop

Hi Hi

GRRRRR

des filles.

montagne de bouffe (c'est juste un en-cas)

GÉRARD avale cul sec deux verres de vodka au raifort (et moi aussi du coup).

132

Dans un premier temps, il ne se passe rien.

GRRRRR

MioM MioM

C'EST PAS UNE BONNE IDÉE DE MANGER BEAUCOUP AVANT BANIAN...

MioM

images pieuses.

Jérôme est un peu nerveux. Il a organisé plusieurs rendez-vous entre GÉRARD et des hommes d'affaires pour la fin de journée.

MAIS JE VAIS PAS MANGER BEAUCOUP.

PIS JE VAIS REPRENDRE UN PEU DE VODKA AU RAIFORT PARCE QUE JE SUIS FATIGUÉ.

Le BANIAN (la maison de sauna) se trouve au fond du jardin.

RAAAA... C'EST MAGNIFIQUE.

TIENS, MATHIEU, ON VA TE FAIRE GOÛTER UN TRUC TYPIQUE.

il y a même une yourte.

les femmes restent dans la datcha.

cabane pour les barbecues.

C'EST DU KWAS. C'EST UNE ESPÈCE DE BIÈRE. TRÈS FAIBLEMENT ALCOOLISÉE.

C'EST LÉGAL CE TRUC ?

SLURP ! OUI C'EST FRAIS.

À partir de là...

... mes souvenirs se troublent un peu.

TIENS, IL FAUT METTRE UN CHAPEAU. POUR ÉVITER LES ÉTOURDISSEMENTS.

LES ÉTOURDISSEMENTS ?

CHHHH

On place des branches de sapin sur le visage de GÉRARD.

ÇA VA GÉRARD ?

HA HA

DA ! DA !

AH, TU PEUX Y ALLER LÀ, C'EST BON.

CHLAK !!

ce type enduit GÉRARD avec du sel et du miel.

lui il fouette GÉRARD avec des branches de sapin.

135

137

Le lendemain, dans la suite de GÉRARD.

QUOI !?! TU AS AIDÉ À L'ACCOUCHEMENT D'UN DE TES FRÈRES !!!

TROIS.

TEL MÉTROPOL

J'EN AI ACCOUCHÉ TROIS.

MON PÈRE IL DEVAIT ÊTRE AU BISTRO, ÇA LUI FOUTAIT LES JETONS...

← fatigué

LE PREMIER J'AVAIS 7 ANS... ET LES AUTRES 9 ET 10 ANS.

MAIS TU FAISAIS QUOI ?!!!

BIN JE PRÉPARAIS LE MACHIN, J'COUPAIS LE CORDON...

Yulia.

...SAUF QUE POUR LE DERNIER JE SORS LE BÉBÉ ET LÀ :

FLOUATCH!

DESCENTE D'ORGANES !

LA LILETTE ELLE ÉTAIT COMME ÇA...

HEUREUSEMENT LA SAGE-FEMME A FINI PAR ARRIVER...

GÉRARD joue la scène. ↓

"IL Y A UNE DESCENTE D'ORGANES ? EH BIN C'EST RIEN..."

"TU REMETS TOUT ÇA LÀ-DEDANS ET ÇA VA ALLER"...

...ON VA MÊME PAS RECOUDRE, ON VA LUI METTRE UNE COUCHE...

– BIN OUI MAIS APRÈS ?

– APRÈS ? EH BIN ÇA VA SE REMETTRE TOUT SEUL."

ET VOILÀ.

Sur la table, je commence à feuilleter GRANDEUR NATURE, un livre de photos consacré à GÉRARD (son enfance, sa carrière etc.).

TON PÈRE, IL SAVAIT CE QUE TU FAISAIS ? IL SE RENDAIT COMPTE ?

NON.

DEPARDIEU Grandeur nature

Flammarion, photos de Richard MELLOUL.

UNE FOIS IL EST ALLÉ AU CINÉMA...

IL A POSÉ SA BICYCLETTE. IL EST ALLÉ VOIR "LES VALSEUSES".

ET ALORS ?...

APRÈS, LES GENS LUI ONT DIT: "ALORS T'AS VU ? T'AS VU L'GÉRARD ? AU CINÉMA ?"...

ET IL A RÉPONDU QUOI ?

IL A RÉPONDU : "BIN, C'EST L'GÉRARD QUOI. PIS C'EST TOUT, HEIN"...

HA HA HA !

Quelques minutes plus tard...

GÉRARD, SI TU ES PRÊT ON VA DESCENDRE PARCE QUE TON RENDEZ-VOUS VA ARRIVER.

OUI OUI, JE SUIS PRÊT, MOI.

ALLONS-Y.

FRANCE 24 ...ndale des ...A PAPERS ...es gros ... ...outine est ...té parmi ... noms des fraudeurs.

MAIS CE QU'IL Y A...

...J'AI UN PEU SOIF.

JE PRENDRAIS BIEN UN PETIT COUP DE BLANC.

NON ?

À 10H DU MATIN ?

OUI, T'AS PAS SOIF, TOI ?

EUH...

C'EST JUSTE POUR ME RAFRAÎCHIR. ON ÉTOUFFE, ICI.

NON, ON N'A PAS LE TEMPS, LÀ, ALLONS-Y, GÉRARD.

OUI OUI.

← porte de la suite de GÉRARD.

porte de la suite d'ARNAUD. ↘

?

QU'EST-CE QU'IL FAIT ?

J'AI PLANQUÉ TOUTES LES BOUTEILLES D'ALCOOL QU'IL Y AVAIT DANS SA CHAMBRE...

...ALORS IL VA VOIR DANS LA MIENNE S'IL EN TROUVE.

BON, MATHIEU, COMME JE VAIS DEVOIR PARLER AVEC LES BANQUIERS AVANT ...

...EST-CE QUE TU PEUX EMPÊCHER GÉRARD DE BOIRE PENDANT QUE VOUS NOUS ATTENDEZ ?

EUH ...

il n'a rien trouvé. ↘

JE COMPTE SUR TOI.

OUI OUI.

GRRRR

ET MERDE...

Peu après, dans la salle du petit déjeuner...

... QUAND J'ÉTAIS À ROME POUR LE TOURNAGE DE RÉNÉ LA CANNE * SYLVIA KRISTEL VENAIT ME VOIR. ELLE PRENAIT UN AVION, ELLE DESCENDAIT À MON HÔTEL. ELLE PRENAIT JUSTE UN MANTEAU DE FOURRURE. C'EST TOUT.

ELLE ÉTAIT À POIL EN DESSOUS...

...ELLE ENTRAIT DANS MA CHAMBRE SANS RIEN DIRE, ELLE ENLEVAIT SON MANTEAU ET ELLE VENAIT ASSEDIR SA CHATTE SUR MA BOUCHE ET JE ME RÉVEILLAIS... COMME ÇA...

LA VACHE !

ÇA TE DIT PAS QU'ON AILLE SE PRENDRE UNE PETITE COUPE DE CHAMPAGNE ?

HEIN ?! ...

* "RENÉ LA CANNE" de Francis GIROD, 1977 avec DEPARDIEU, Sylvia KRISTEL, Michel PICCOLI...

UNE PETITE COUPE DE CHAMPAGNE ? HMM ? AU BAR DE L'HÔTEL ?

EUH, JE SAIS PAS SI C'EST UNE BONNE IDÉE, GÉRARD...

LES BANQUIERS AVEC QUI TU AS RENDEZ-VOUS NE VONT PAS TARDER...

AH BAH TIENS !! LES VOILÀ JUSTEMENT !

L'un des banquiers a l'air passablement flippé.

BONJOUR.

HELLO.

lui.

NASDROVIÉ.

Le banquier flippé explique à GÉRARD que son associé a tout simplement disparu sans laisser d'adresse...

C'EST FINI, TU LE REVERRAS PAS.

I DON'T KNOW HOW IT'S POSSIBLE.

I'M VERY UPSET.

... et avec une très forte somme que GÉRARD leur avait confiés.

... C'EST PAS FACILE D'ÊTRE BANQUIER AUJOURD'HUI.

YES BUT ...

C'EST RIEN. JE N'AI BESOIN DE RIEN.

L'ARGENT NE M'INTÉRESSE PAS.

GÉRARD a l'air de s'en foutre.

JE PRÉFÈRE AVOIR DES AMIS QUE DE L'ARGENT.

YES, C'EST BIEN D'AVOIR LES DEUX.

OUI, JE N'AI RIEN CONTRE L'ARGENT NON PLUS...

HA HA

HA HA

ultra-soulagé de voir que GÉRARD prend bien les choses.

← il bouffe tous les macarons.

Devant moi, GÉRARD parle sans retenue de ses montages financiers, de ses impôts et de ses projets...

EN BIÉLORUSSIE, JE VEUX FAIRE DE LA POMME DE TERRE...

LA POMME DE TERRE "PRINCE GÉRARD".

HA HA

HA HA

Véridique.

il a fini tous les macarons.

← impression numérique du FIGARO du jour.

Les banquiers hallucinent un peu de voir que je note tout.

T'AS MIS QUOI, LÀ ?

OH C'EST RIEN, C'EST QUAND TU PARLES DES IMPÔTS...

NON, C'EST PAS LA PEINE D'EN PARLER.

ÇA VA ATTIRER LES CONS.

Gérard intervient, fait des blagues, séduit son auditoire...

L'ARGENT NE M'INTÉRESSE PAS...

JE NE VAIS PAS ALLER AU PANAMA !

HA HA

Mais assez vite il se lasse...

BON... SPASSIBA. SPASSIBA.

DA DA

Il faut bouger, changer de décor, faire quelque chose...

SI JE FUME C'EST POUR M'OCCUPER LES MAINS. SINON JE M'EMMERDE.

C'EST POUR ÇA LE SOIR JE LIS, COMME ÇA J'AI LES MAINS PRISES ET JE FUME MOINS...

Faire le mariole dans les réserves du METROPOL...

GRRRR DO YOU HAVE CHAMPAGNE ?

YES YES NOT HERE...

? Hi Hi Hi Hi

Vider le bar,...

T'AS VU ELLE A UN TATOUAGE SUR LE BAS DU DOS.

OÙ ÇA ? SLURP

Vide sa flûte de champagne d'un coup.

Asticoter les serveuses...

YOU HAVE A TATOO, I KNOW IT.

GRRRRR YOU'RE BEAUTIFUL.

Hi Hi Hi

Avaler une montagne de pizzas dans la BOTTEGA SICILIANA (la la plus chère de MOSCOU)...

JE SUIS UN HYPERSENSIBLE PATHOLOGIQUE. JE N'AURAIS PAS DÛ BOIRE DE VODKA HIER...

IL Y A UNE EXPRESSION RUSSE QUI DIT : " C'EST PAS DE MA FAUTE, C'EST DE LA FAUTE DE LA VODKA. "

HAHA

OUI MAIS, LÀ, NON. C'EST PAS LA VODKA, C'EST MOI.

Faire le mariole dans les cuisines de la BOTTEGA SICILIANA ...

GRRRR

HA HA

HA HA HA

Avaler des glaces...

... AVEC DE LA GRAPPA, OUI. BEAUCOUP DE GRAPPA.

T'ÉTAIS PAS SUPPOSÉ ARRÊTER ?

OH J'ARRÊTERAI APRÈS. PLUS TARD.

Faire des achats dans une bijouterie huppée…

12 000€? NON, NON, ÇA, JE VOIS BIEN, C'EST DES TOPAZES QUI ONT ÉTÉ CHAUFFÉES. JE T'EN DONNE 5000€.

!?

NO NO! IMPOSSIBLE!

10 000€ IT'S MY LAST PRICE!

ou dans la bijouterie d'à côté…

TANT PIS MON POTE, TU PERDS TOUT!

celle-ci va dérouler le tapis rouge pour GÉRARD qui repartira avec 4 paires de boucles d'oreilles.

Changer de décor…

BON, JE VAIS ALLER ME COUCHER.

GÉRARD, TU N'OUBLIES PAS LE RENDEZ-VOUS AVEC LES SCÉNARISTES TOUT À L'HEURE?

OUI OH…

Préparer un prochain film en Russie*…

J'AIME LA COMÉDIE MAIS PAS LA CARICATURE.

LA CARICATURE JE CONNAIS. JE SUIS DÉJÀ MOI-MÊME, UNE CARICATURE…

QUAND TU FAIS 250 FILMS TU N'ES PAS NORMAL…

Etc.

JE DÉTESTE L'IMPROVISATION. J'AIME CE QUI EST ÉCRIT. ET MÊME LA PONCTUATION. JE DÉTESTE LES ACTEURS EN LIBERTÉ. ILS M'EMMERDENT.

DÉJÀ D'HABITUDE LES ACTEURS M'EMMERDENT, ALORS EN LIBERTÉ…

les panama papers toujours à la une.

équipe de scénaristes russes

Le soir GÉRARD est arrêté (pour la millième fois) par deux jeunes filles qui lui demandent de faire un selfie.

HA HA! T'AS VU ÇA!?

MERCI BEAUCOUP JE VOUS PRIE…

HI HI

OUI OUI

elles parlent quelques mots de français

HA HA! PIERRE RICHARD IL EN SERAIT MALADE S'IL VOYAIT ÇA…

OH PUTAIN, PAS SI VITE, LÀ!

COMMENT ON DIT "PAS SI VITE" EN RUSSE?

МИЛАНСКИЕ НА ВСЁ!!!

* "FAUX FRÈRES" avec Pierre RICHARD.

OH PUTAIN, ÇA FAIT MAL AUX JAMBES.

T'AS FINI DE TE PLAINDRE ?!!

EH, TU VERRAS QUAND T'AURAS MON ÂGE !

MAIS, T'ES PAS VIEUX, GÉRARD.

МИЛАНСКИЕ НА ВСЁ!!!

T'AS QUEL ÂGE ? 67 ANS ?

68.

67 !! SI TU TE VIEILLIS D'UN AN EN PLUS...

BIN OUI. J'AI TOUJOURS DIT QUE JE TIENDRAIS JUSQU'À ENCORE 7 OU 8 ANS, MAIS LÀ JE COMMENCE À ME DEMANDER...

...NON, JE CROIS PAS QUE JE TIENDRAI JUSQUE-LÀ...

MAIS ÇA VA, LÀ T'ES BIEN, GÉRARD...

MOUI.

OUI, LÀ ÇA VA, MAIS C'ÉTAIT HIER, ÇA ALLAIT PAS... J'AVAIS TROP D'ÉMOTIONS.

ET PIS J'AVAIS BU DE LA VODKA ET ÇA NE ME FAIT PAS DU BIEN, LA VODKA...

MAIS SURTOUT C'EST LA NUIT. MAINTENANT ÇA M'ANGOISSE QUAND IL FAIT NUIT...

La vie continue.

Épilogue

C'est parti...

SNIRFLLL

ÇA VA ?

OUI.

COMME JE NE ME SUPPORTE PAS, C'EST LA SEULE MANIÈRE POUR MOI DE ME VOIR...

BON, MA FEMME L'A LUE, ELLE TROUVE ÇA BIEN MAIS ELLE A PEUR QUE ÇA FASSE UN PEU LÈCHE-CUL...

LÈCHE-CUL ? NON, ÇA FAIT PAS LÈCHE-CUL...

IL FAUT AVOIR UN ESPRIT UN PEU CRITIQUE...

ET PUIS, TU SAIS, IL Y A DÉJÀ PAS MAL DE CARICATURES DE MOI QUI CIRCULENT ET ELLES SONT PAS TRÈS "LÈCHE-CUL" DONC UN PEU D'HONNÊTETÉ ÇA PEUT PAS FAIRE DE MAL...

'Ui.

GÉRARD poursuit sa lecture.

OUI BON, C'EST SÛR, JE ME SUIS FAIT UN PEU PLUS BENÊT QUE JE NE SUIS...

NON. PAS BENÊT. IL FAUT ÇA POUR PERCEVOIR LA VÉRITÉ...

MOI-MÊME JE FAIS ÇA : JE FAIS LE NAÏF. JE POSE TROIS FOIS LA MÊME QUESTION POUR VOIR SI LE TYPE EN FACE NE ME RACONTE PAS DES SALADES.

SNIRFLLL

S'IL CHANGE DE DISCOURS À CHAQUE FOIS, TU VOIS QU'IL N'EST PAS CLAIR...

En feuilletant, GÉRARD tombe sur les pages dans lesquelles Arnaud Frilley me prépare à ma première rencontre avec GÉRARD...

"TU VAS VOIR, JE VAIS ÉCRASER MON GROS NEZ SUR LA JOUE DE POUTINE."

C'EST PAS ÇA ! J'AI JAMAIS DIT ÇA !

IL DIT N'IMPORTE QUOI, ARNAUD, C'ÉTAIT PAS PRÉMÉDITÉ !!

JE L'AI FAIT COMME ÇA, C'EST TOUT !

C'EST PAS VRAI CE QU'IL DIT, ARNAUD !!

POURQUOI TU DEMANDES À ARNAUD ?!

BIN...

C'EST COMME LE COUP DE FIL AVEC HOLLANDE, J'AI JAMAIS DIT : "VOUS DÉCONNEZ AVEC LA RUSSIE !"

D'ABORD, JE LE TUTOIE, HOLLANDE !

OK D'ACCORD

ALICANTE:

Laurent
AUDIOT

Isabel
Coeixet

COVA FUMADA
bar à tapas
BARCELONETA

REMERCIEMENTS

Merci à Gérard Depardieu pour sa confiance et la liberté totale qu'il m'a accordée.
Merci à Arnaud Frilley pour sa complicité et son aide inestimable.
Merci à Stéphane Bergouhnioux pour son regard et ses précieux coups de mains.
Merci à Karina, mon indispensable.

J'adresse également mes remerciements à :
Sophie Frilley et l'équipe de B-Tween Production, Stéphanie Lachêvre, Yulia Mosman,
Benoît Delépine et Gustave Kervern, Laura Briant, Laurent Audiot, Sébastien Fallourd, Biggs
et l'équipe d'À Pleines Dents, Fanny Ardant, Emmanuelle Seigner,
Paulo Branco et l'équipe d'Alfama Films, Sylvie Pialat, Frédéric Vidal
et Jean-Pierre Fuéri de *Casemate*, Marina Foïs, Audrey Azoulay,
Gaspard Gantzer et François Hollande, Lewis Trondheim, Nikolaï et Michael, Serguéï
et sa famille, Nikolaï Borodachev et l'équipe du Gosfilmofond, Danielle et Édouard Pontremoli.

Pauline Mermet et Anaïs Aubert.

Vous pourrez retrouver le film *Retour au Caucase* à l'adresse suivante :
http://boutique.arte.tv/f9704-retour_caucase_gerard_depardieu_dans_pas_alexandre_dumas

© Arnaud Frilley

©DARGAUD 2017

PREMIÈRE ÉDITION EN 2017

Tous droits de traduction, de reproduction et d'adaptation strictement réservés pour tous pays.

Imprimé sur un papier issu de forêts gérées durablement.

Dépôt légal : juin 2017 . ISBN 978-2205-07604-2

Imprimé et relié en France par PPO.

www.dargaud.com